新潮文庫

剣客商売　二十番斬り

池波正太郎著

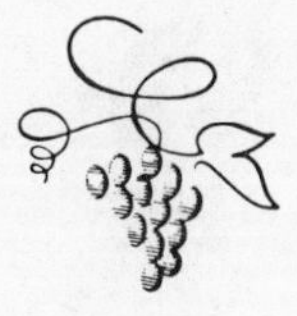

新潮社版

5874

目次

剣客商売　二十番斬り

おたま

一

「おや……？　お前、どうした？　久しぶりだのう。まだ、生きていたかえ」

昼近くなって、ようやくに目をさました秋山小兵衛の声が、居間の縁側のあたりできこえた。

台所で、夕餉に出す木の芽田楽の味噌をこしらえていたおはるが出て見ると、縁側にしゃがみこんだ小兵衛が、庭の一隅へ向って、しきりにはなしかけていた。

相手は、あたたかい春の日ざしを浴び、坐ったまま、小兵衛の顔を見ている。

「どうした、これ……おい、おたま。こっちへおいで」

小兵衛が手をさしのべると、相手は小兵衛の傍へ寄って来かけたが、おはるが居間へ入って来るのをちらりと見て、足を停めた。

「あれまあ、一年も前に出て行ったきりなのに、おたまは、いったい何処から舞いもどって来たのかしらん」

と、おはるがいった。

二人が「おたま」とよんでいるのは、白い牝猫なのである。

この猫が秋山小兵衛の隠宅へ迷い込んで来て、いつとはなしに住みついてしまったのは、一昨年の、ちょうど今ごろであった。そのとき、すでに、おたまは人間でいうなら三十をこえていたろう。

「こんな迷い猫を飼うのは、嫌ですよう」

おはるは反対をしたが、おたまはたちまち小兵衛に懐いてしまい、小兵衛の膝へのると、もう何年も、この家に暮しているような顔つきで、喉を鳴らしはじめた。

「まあ、ずうずうしい猫だねえ」

おはるは、どちらかというと猫を好まぬ。何しろ、台所などはぴかぴかに磨きあげるほうだから、猫の毛が落ちていたり、泥足で家の内へ入って来ることに我慢ができないようなところがある。それに引きかえ、秋山小兵衛は猫が好きで、これまでに何匹も飼ってきたが、その大半は死んでしまっていた。

おたまという猫は、おはるに叱られたり叩かれたりしながら、まるで、小兵衛の陰へ隠れるようにしていたが、住みついてから一年余。去年、梅雨に入ったころに突然、姿を消してしまった。

「おはる。お前が、あまり苛めるからじゃ。せっかくに居ついたものを……」

小兵衛が、やや寂しげにいったとき、おはるは、

「おたまは、あっちへ行ったり、こっちへ行ったりして暮すのが好きなのでしょうよ」

気にもとめなかった。

「ばか。猫は人よりも気がまわる生きものじゃ。すべてを知っていながら知らぬふりをしている。ことに、あのおたまは、な……」

「それなら、おたまを探して連れもどし、おたまに御飯を炊かせたり、肩をもませたりしたらいいですよう」

「お前は、すぐに、それだ」

「一緒にいるのが、おたまじゃなくて悪うござんしたねえ」

などと毒口をたたいた、おはるだが、実は、むかし、まだ小兵衛の隠宅へ女中に入ったばかりのころに、猫と小兵衛については、いまだに忘れぬことがあったのだ。

それは、初秋の或る夜のことで、台所の後片づけを終えたおはるが廊下へ出て来ると、いましも、居間に寝そべっていた秋山小兵衛が銀煙管を手にして、半身を起し、少し離れたところに置いてある煙草盆へ左手を伸ばしかけたところであった。

すると……。

居間の片隅で、小兵衛同様に寝そべっていた黒い牝猫のおくろが、むっくりと起きあがった。

起きあがったかと見る間に、おくろは煙草盆へ近寄り、これへ自分の尻をあてがい、小兵衛の目の前まで押して行ったではないか。

「おお、よしよし」

小兵衛が、おくろにそういって腹這いとなり、煙草盆へ煙管をもってゆく。

おくろは、また、もとの場所へもどって寝そべり、目を閉じた。

これを見たおはるがびっくりして、翌朝、朝餉の給仕をしながら、小兵衛に語るや、

「なあに、いつものことだよ」

小兵衛は、事もなげにこたえたのである。

おくろは当時、かなりの老猫で、十何年も秋山小兵衛宅に飼われていたそうだが、翌年の夏に病死した。

そのときの、小兵衛の看病ぶりは、まるで、家族の人に対するもののようであったことも、おはるは忘れていない。

「お前なんか嫌だよ。さっさと何処かへ行っておしまい」

いい捨てて、おはるが台所へもどって行くのを待っていたかのように、おたまはさっと縁側の下へ走り寄って来た。

「さ、あがれ、あがれ」

声をかけた小兵衛が、縁側を叩いて誘った。以前のおたまであれば、すぐさま縁側へ飛びあがって来るのだけれども、人間でいうならば中腰の姿勢で、凝と、秋山小兵衛を見上げたまま、うごかぬ。

「どうした、これ……遠慮はいらぬぞ。さ、おいで、おいで」

手をさしのべると、おたまは身をひるがえして、庭から堤の上へ通ずる細道のところまで行き、振り向きざまに、甲高い声で一声鳴いた。

鳴いて、また、小兵衛を見つめている。

このような声で、おたまが鳴くのは初めてであった。

(はて……?)

小兵衛も、おたまを見返した。

と……おたまは、またも縁の下まで駆けもどり、

「にゃあん……にゃん、にゃん……」

三声(みこえ)、鳴くや、反転して元の細道のところへもどり、振り返って、小兵衛をみつめる。

ここに至って、秋山小兵衛の老顔が、わずかに引きしまってきた。

小兵衛は、庭下駄(げた)へ足をのばした。

これを見て、おたまは堤への小道を五、六歩、駆けのぼってから振り向き、二声鳴いた。

小兵衛が二、三歩、歩み出すと、おたまはさらに小道を駆けのぼり、振り向いて一声、鳴く。

(わしを、何処へ連れて行こうというのじゃ?)

秋山小兵衛は、堤への小道へ向って歩み出した。

おたまは、ここで、小兵衛がついて来てくれるとわかったものか、逸散に堤の方へ駆けのぼって行く。

ややあって、

「いつまで、おたまと遊んでいるのですよう。早く、顔を洗って、御飯を……」

いいながら、おはるが居間へ入って来たとき、秋山小兵衛の姿は何処にも見えなかった。

二

おたまは、堤の上の道へ出て、後からついて来る秋山小兵衛の姿をたしかめるや、ひときわ高く鳴き声をはなち、北の方へ向って走り出した。

正確にいうならば真北ではなく、やや東寄りの方向で、小兵衛の隠宅から五町たらずのところに、綾瀬川がながれている。川幅は十二間ほどで、この川は大川（隅田川）と新川をむすんでいる。

川縁を少し東へ行くと、綾瀬橋という橋があった。

おはるは、関屋村の実家へ行くたびに、よくこのあたりを通るが、小兵衛は、ここ一年ほど綾瀬川のほとりには足を運ばなかった。

「おたま。わしを何処へ連れて行くつもりなのじゃ」

小走りに行くおたまと歩調を合わせて走りつつ、問いかけると、おたまは、もう小兵衛がついて来てくれるものとおもいこみ、脇目もふらずに速度を早めて走り出した。

綾瀬橋の二町ほど手前の右側へ、秋山小兵衛の隠宅のように堤から下る小道がついていて、おたまは、この小道を走り下りて行く。

堤の左側は、綾瀬川である。

堤の小道を下ると、こんもりとした木立になってい、小道は木立の中へつづいていた。

おたまと小兵衛は、木立を抜けた。

と……。

藁屋根の風雅な家が、目の前へあらわれたではないか。三間か四間の、小さな家である。

おたまは振り返って、今度は鳴かずに、小兵衛へ向って低く唸り、この一軒家の裏手へまわって行く。

家は、木立と竹藪に囲まれている。家の向うの竹藪を突き抜ければ、隅田村の田地がひろがっているはずだ。

そのあたりから、雲雀の声が高らかに空へ舞いあがってゆく。

裏手の戸は、ぴったりと閉まっていた。

その戸口へ四つの足を停め、おたまが小兵衛を見あげ、また唸った。

秋山小兵衛は、戸口の傍の桐の木の根元へ屈み込み、戸口の内側の気配に耳をすました。

男の低い笑い声がする。

それも、一人ではない。

(はて……?)

笑い声はきこえたが、どうも、妙な気配なのだ。

異常な、何やら切迫したものが感じられる。

二人の男の、低い声がした。

戸を開ければ、おそらく台所なのだろうが、男たちの声は、台所の向うからきこえてくる。

「にゃあん……」

おたまが鳴いて、戸を爪で引っ掻いた。

このとき、小兵衛の脳裡に、二年ほど前の出来事が浮かびあがってきた。

当時、おたまは小兵衛の隠宅で住み暮していたわけだが、二年前の秋の或る日、小兵衛は外出先から帰る途中、隠宅に近い加藤備前守という大身旗本の下屋敷（別邸）の裏道へさしかかった。

そのとき、人気もない塀外の裏道で、二人の無頼浪人が、通りがかりの老人へ言い掛かりをつけ、殴ったり蹴ったりしているのを小兵衛が見た。

もとより、秋山小兵衛が知らぬ顔で通りすぎるはずもない。

小兵衛は、たちまちに二人の浪人を叩き伏せ、追いはらってしまった。

このときの老人は、両国・村松町の袋物屋の主人で〔西川屋太七〕といい、以来、年に二、三度は小兵衛の許へ訪ねて来る。

這う這うの態で逃げ去って行く二人の浪人を見送っている小兵衛の頭上で、猫の鳴き声がした。見ると、おたまが加藤屋敷の塀の上にいる。

「や、お前、見ていたのか。さ、おいで」

小兵衛が腕をひろげると、おたまは、塀の上から、ふところへ飛び込んで来て、ごろごろと喉を鳴らしたものだ。

「お宅さまの猫ちゃんでございますか?」

と、西川屋太七。

「さよう。迷い猫だが、ちょいと気取り屋でしてなあ」

と、秋山小兵衛。

二年前の、そのときの情景が、いま、小兵衛の脳裡にひらめいたとき、

(よし)

小兵衛の心は決まった。

小兵衛は手をのばし、少しずつ、戸を引き開けてゆく。戸のすべりはよく、あまり音をたてなかった。

二尺余も引き開けるや、小兵衛は身を沈めたまま、するりと中へ入った。おたまもすかさず後へつづいて来た。

そこは、やはり台所であった。

果して、台所の向うの部屋では、異常事態が展開していたのである。

三

でっぷりと肥えた、大男で禿げ頭の老人がひとり、後手に縛られ、猿ぐつわをかまされて、眼を白黒させている。

その目の前で、半裸の女が、三人の無頼者に辱かしめられつつあった。

女は縛られていないが、叫び声をふせぐための猿ぐつわをかまされ、無頼者の二人が女の上半身を押えつけていた。

いましも、女の上へ乗りかかっているのは、たくましい体軀の浪人者だ。

浪人の、体毛が密生した尻と腿が激しく律動し、低い、下卑た笑い声が洩れた。

女は気絶をしたか、観念してしまったものか、真白な、ふっくりとした両腿の間に浪人の下半身をのせたまま、ぐったりとなっている。

「先生よう。いいかげんにしなせえよ」

「つぎは、このおれだからね、早くすませておくんなさい」

女を押えつけている二人の無頼者が、そういった。

浪人は笑いながら、うごきを早めた。

老人が、猿ぐつわの中から、くやしげに呻いた。

台所との境の障子が一枚、台所側へ外れていたのは、この老人か女が、無頼者に幾許かの抵抗をした名残りであろうか。

屈み込んでいた秋山小兵衛が、音もなく立ちあがった。

(そうか、おたま。お前、この家に飼われていたのじゃな)

小兵衛は、台所を見まわした。

台所は、整頓が行きとどき、道具類も多い。

「先生よう。こう見せつけられちゃあ、かなわねえよう」

無頼者のひとりが、舌打ちと共にいった。

このとき……。

秋山小兵衛が台所の鰺切庖丁を手に取り、これを、こちらへ向いている浪人の尻を目がけて投げつけた。

細い、先の尖った鰺切庖丁は一すじの光芒となって、吸い込まれるように、浪人の尻へ深深と突き刺さった。

女と、こういうことをしている男の尻へ、突然に刃物が飛んで来て突き刺さったのだから、たまったものではない。

「わあっ……」

無頼浪人め、弾機仕掛けの人形のごとく、女の躰から飛びあがった。

「あっ、手前……」

「ど、何処から入って来やがった」

台所に立っている小兵衛を、はじめて見た無頼者ふたりが女から手をはなし、ひとりは置いてあった脇差へ手をかけ、ひとりはふところの短刀を引き抜こうとするのへ、

「それっ!!」

小兵衛が、竈の傍に積んであった薪をつかんで投げつけた。

余人が投げた薪ではない。

「ああっ……」

「うわ……」

無頼者ふたりは、それぞれに鼻柱の急所を薪に強打され、目をまわしてしまった。

「うぬ!!」

浪人が下半身を被う間もあらず、外してあった大刀へ飛びつこうとするとき、飛鳥のごとく、台所から部屋へ走り込んだ秋山小兵衛が、物もいわずに浪人の顎のあたりを蹴りつけた。

「あっ……」

横ざまに倒れかかる浪人のくびすじの急所を、小兵衛は手刀で打ち据え、唸った浪人が必死に起きあがろうとする、その胸下へ拳を突き入れた。

腰に脇差も帯びず、それこそ、寝起きの姿のままで此処まで来た秋山小兵衛であったが、こうなれば無頼者三人を料理するのに汗もかかぬ。

浪人は気絶してしまったし、残るふたりも、おびただしい鼻血を振り撒きつつ、よろよろと逃げようとするのへ、

「ま、ゆっくりとして行け」

当身をくわせ、気絶させておいた。

女は、ほとんど虚脱状態になっているらしい。

小兵衛は先ず、女の猿ぐつわを外し、開けた着物を直してやってから、

「さてさて、災難でござったのう」

縛られていた老人の両腕を自由にしてやり、猿ぐつわを解き、このとき、はじめて正面から老人の顔を見て、

（あ、これは……）

おどろきの目をみはった。

四十年ぶりに会ったわけだが、たとえ、頭がつるつるに禿げていようとも、この顔を見忘れるものではない。眉と眉の間、鼻柱の上にある大きな黒子もむかしのままだ。

「あなたは、あの……」

いいさして、われにもなく、小兵衛は絶句してしまった。

老人は、小兵衛に礼をのべるでもなく、きょとんとしている。

小兵衛を見ても、四十何年前のことなど、まったく、おもい出さぬらしい。

ふらふらと立ちあがった老人は、倒れている女には見向きもせず、障子を開け、縁側から庭へ下りた。

秋山小兵衛は、老人の後姿を見送ったが、声をかけなかった。

（忘れているらしい。もっとも、四十余年前の、あの人にとって、この秋山小兵衛は物の数ではなかったのだものな）

老人は、庭の向うの竹藪の小道へ入って行き、姿が見えなくなった。

小兵衛には、この老人の行先が、およそ、わかっているつもりである。

この後で、秋山小兵衛は三人の無頼者を台所へ引き摺って行き、太い柱へ細引きの縄で縛

りつけた。

この事件は別にしても、このような無頼者を野ばなしにしておくと、迷惑をするのは江戸の市民たちだ。小兵衛は、近くの木母寺境内にある、知り合いの茶店の者を本所・中ノ郷に住む御用聞きのところへ走らせるつもりでいたが、

（待てよ……）

考え込んでしまった。

無頼者たちを中ノ郷の御用聞きへわたしたならば、事は内密にならぬ。そうなると、件の老人の身元も、お上へ知れわたることになる。

（これは、困った。かといって、こやつどもを解きはなっては……）

おもい迷いつつ、部屋へもどった秋山小兵衛が、

「いない……」

低く叫んだ。

倒れていた女が、消えていたのである。

四

かの老人の名を、夏目八十郎という。

綾瀬川のほとりの、女の家では着ながし姿で、脇差ひとつ帯びていなかった夏目八十郎だ

が、いまは知らず四十余年前の八十郎は百五十俵三人扶持の幕臣であった。

　夏目八十郎は、秋山小兵衛より五、六歳の年長であったはずゆえ、いまは七十になっていようから、家督を息子へゆずり、隠居の身であることも充分に考えられる。

　そうなると、この事件が、お上に知れたとき、波紋は、百五十俵の家をついだ息子の身にまでおよぶことになる。それを小兵衛は考えたのだ。

　思案したあげく、小兵衛は三人の無頼者のいましめをきびしくし、猿ぐつわをかませ、柱へ縛り直した。小兵衛が念を入れて縛ったのだから、容易なことでは逃げられぬ。

　おたまの姿は、何処にも見えない。

　こうしておいて、小兵衛は戸締りをし、外へ出てから、

「おたま、おたま」

　声高によぶと、何処からともなく、おたまが走り出て来た。

「おたま。でかしたぞ、ようやった。さ、来い、来い」

　先き立った小兵衛の後ろから、おたまは隠宅までついて来た。

「あれまあ、何処へ行っていたのですよう、ひとに黙って……」

　と、金切り声をあげるおはるへ、小兵衛が、

「おたまに何か旨いものを食べさせてやれ。それから、四谷の弥七へ使いを出しておくれ。いま、手紙を書く」

　すでにのべた、木母寺の茶店へ手紙をたのむと、茶店の者が四谷・伝馬町に住む御用聞

き・弥七のもとへ届けてくれる。これは前に何度もたのんだことだし、急ぎのときは町駕籠を使ってもらうことにしてある。

「よいか、急ぎじゃ」

「いったい、どうしたのですよう？」

「まあ、聞け」

弥七への手紙を書きながら、小兵衛はざっとはなしをしたが、夏目八十郎については洩らさなかった。

手紙のついでに、小兵衛は、あの家への略図をしたため、

「よいか、わしは此処にいるから、あとで、弁当を持って来ておくれ」

「へえ……この猫が、そんなことをしたのですかねえ」

「猫という生きものは、お前が、ばかにするようなものではない。それが、よくわかったろう。どうじゃ？」

顔を洗い、着替えをすませ、小兵衛は脇差を腰にして、ふたたび、家を出て行った。

おたまは、魚の干物を裂いて、まぶした飯を夢中で食べていた。

綾瀬川畔の家へもどって見ると、三人の無頼者は息を吹き返し、必死に踠いて、縄をほどこうとしていたが、ほどけるものではない。

それから間もなく、何と、無頼者たちに犯されていた、あの女が、こっそりともどって来たではないか。

秋山小兵衛は、これを予期していた。

女が近づいて来る気配を知るや、物陰へ身を隠した小兵衛は、無頼どもの縄を庖丁で切りほどこうとしている女へ、

「やはり、そうだったのかえ」

すーっと、台所へあらわれたものだから、

「あっ……」

女は驚愕(きょうがく)し、庖丁を取り落してしまった。

「お前たちは、一味(ぐる)であったのだな。向うの納戸(なんど)に百両ほどの金が包んであったぞ。あの金をこやつどもに奪わせておき、後で一緒に逃げるつもりだったのか、どうじゃ」

「う……」

「ついで、あの老人とも手を切るため、わざと、こやつどもに、おのが躰をまかせたのであろう。わしはな、お前が薄眼(うすめ)を開けて、わしがすることをうかがっていたのを知っていたわえ」

女の両眼が白くなったとおもったら、くたくたと崩れるように倒れ伏した。今度は、ほんとうに気絶したのだ。

小兵衛は、女も柱へ縛りつけてしまった。

しばらくして、おはるが弁当を持ってあらわれ、

「あれまあ、女もいるよう」

「おはる。女は猫よりも怖いのう。それで弥七への手紙は、たのんで来たか？」

「あい。駕籠で駆けつけますと」

「それでよし。弥七が、うまく家にいてくれるとよいが……」

夜に入ってから、四谷の弥七は傘屋の徳次郎を連れ、いったん隠宅へ帰っていたおはるの案内で、小兵衛のもとへやって来た。

おたまは、寒がりの小兵衛が、いまだに火を絶やさぬ炬燵の上で、ぐっすりと眠っているそうな。

五

堤の上の桜の蕾は綻びかけたが、秋山小兵衛隠宅の、庭の白梅の花は、すでに散った。

今日も、よい天気で、紋白蝶が一羽、はらはらと庭先にたゆたっている。

あれから六日後の、眠くなるような昼下りであった。

「こたびもまた、お前に厄介をかけてしまったのう」

居間で、小兵衛が四谷の弥七へ、〔京桝屋〕の銘菓〔嵯峨落雁〕をすすめながら、

「お前がうまくやってくれたので、夏目家には傷がつかず、何よりだった」

「それにしても、あの夏目八十郎というお人は、秋山先生のお名前を出しても、まったく、わからず、忘れてしまったのか、おもい出せないのか……ありゃあ、少し惚けてしまったの

ではございませんか」

「そうかも知れぬな。それでなくば、夏目八十郎ともあろうものが、あの三人の曲者どもに両手を縛られ、猿ぐつわまでかまされるはずがない」

小兵衛は、むしろ沈痛に、

「齢をとるということは、おそろしいものじゃなあ」

と、いった。

本所の三笠町に小さな屋敷がある夏目八十郎は、二十年も前から隠居しており、百五十俵の家は一人息子の弥太郎へゆずった。妻は、すでに病死していた。

そして、自分は小金を元手にして、金貸しをはじめたらしい。女出入りも絶えたことがなかったそうだが、だからといって息子に面倒をかけるということもなく、下谷の根岸の里に小さな別宅をかまえ、下男・女中と共に住み、つぎからつぎへ女を換えての女漁りに夢中となって、今日に至った。

これは息子の夏目弥太郎が、四谷の弥七によってあの事件を知り、狼狽して、秋山小兵衛のもとへ駆けつけて来て、

「わが父ながら、まことにもって、おはずかしいかぎりでござる」

低く頭を垂れ、小兵衛に語ったのである。

この息子は、見たところ、いかにも律義、誠実の人物であった。

老父の八十郎は、ちかごろ、上野の池ノ端の水茶屋で見つけた女で、お鶴というのを件の

家へ囲い、月のうちの半分は、お鶴と共に暮すようになっていたという。

あの家は、本所・二ツ目の足袋問屋〔増田屋〕の隠居所だったものを、夏目八十郎が借り受けていたのである。

お鶴が、旧知の無頼どもとはかり、八十郎の金を奪い、手を切るために、半分は面白ずくで男たちの嬲りものになったのは、そうでもしないことには、執拗な夏目八十郎が手ばなさなかったからだ。

秋山小兵衛の顔は、すっかり見忘れてしまった夏目八十郎だが、女と金にかけては、なかなかに隙を見せぬ。そこで、お鶴は、ただ逃げてはつまらぬゆえ、無頼どもの暴力を借り、金を奪ったのである。

その金百両は、あの事件の起った五日ほど前に、八十郎が貸した金をあつめて来たもので、それから、ずっと、お鶴のところへ泊り込んでいたのだ。

さいわいなことに、彼らは、夏目八十郎の息子が百五十俵取りの幕臣であることを知らず、無頼どもは、絶えず、巧妙に、お鶴と連絡を取り合っていたのであろう。

これで、四谷の弥七も万事に、単なる金貸しの老人とおもっていたことだ。

「やりやすくなりました。はい、夏目さんの御子息には、傷がつかないようにいたします」

と、一昨日の午後に、小兵衛へ報告に来たものだ。

たとえ、百五十俵の幕臣にせよ、その一族が金貸しをしていたとあれば、大変なことになる。まかり間違うと、夏目八十郎は皺腹を切っても追いつかぬところであった。

いま、八十郎は、息子の屋敷内へ隠れ、さすがに息を殺しているとか……。

四谷の弥七は、内密に、八十郎を取り調べたが、弥七が秋山小兵衛について、

「おぼえはござんせんか？」

いかに尋ねても、八十郎は、

「さあて……おぼえござらぬ」

かぶりを振る様子が、嘘ではないように見えた。

「ときに大先生。私はまだ、大先生と夏目八十郎さんとの関わり合いを、うけたまわっておりませんが……」

「おお。そうであったのう」

「どういう……？」

「強かった。四十余年前の夏目八十郎の強さというものは、おはなしにならなかった……」

つぶやいて、小兵衛は両眼を閉じた。

「すると、やはりあの、剣術のほうの……？」

「さようさ。そのころ、わしは、麹町の辻平右衛門先生の門人になってより、七、八年もたっていたろうか……」

眼をひらいた小兵衛が銀煙管へ煙草をつめながら、

「夏目八十郎も、当時、辻道場にいてのう。わしは夏目と数え切れぬほど立ち合ったが……

ついに、一度も、勝ったことがない。勝てなかったのじゃ」

「ま、まさか……」

「お前に嘘をついても仕方がない。ほんとうのことだ」

「ですが、それほどのお人が、いくら年寄りになったからといって、あんなごろつきどもに縛りつけられ、目の前で自分の女を……」

「なればさ、年寄りになるということは、怖いと申すのじゃ」

四十余年前の夏目八十郎ときたら、辻道場の下男や女中が、

「仁王さま」

と、よんでいたほどの、堂々たる偉丈夫であった。

「お前も信じられぬだろうが……わしも、あのときのありさまを見たときには、わが目をうたがったのじゃ」

夏目八十郎は二年ほど、辻道場にいたが、そのうちに、姿を見せなくなった。

八十郎は若いころから、諸方の道場をまわり歩いていたらしいが、何よりも、辻平右衛門という師に心服するような人柄ではなかった。

「さあ、来い。秋山、もっと来い、もっと来い」

道場の中央に立ちはだかり、濁声を張りあげている、傲慢そのものの夏目八十郎の姿を、いまだに小兵衛は、忘れぬ。

「そのころは、もう、くやしくてくやしくて……何とか、一度でも勝ちたいとおもったが、

ついに、勝てなんだわえ」

弥七は、おどろきのあまり、声が出なかった。

「あの、仁王さんがのう……」

煙管へ火をつけるのも忘れたかのように、秋山小兵衛は深いためいきを吐いた。

「強かった……あんなに強かった男が、年をとると……」

語尾が消えて、小兵衛が黙念となった。

台所で、おはるの声がした。

「おたまや。さ、こっちへお入り。御飯だよ」

おたまの鳴き声もきこえた。

「大先生。その猫は、いま、こちらに？」

「うむ……」

「さあさあ、ここだよ。よしよし、たんとおあがり」

おはるも今度の事件では、さすがに、おたまを見直したらしい。

「これ、おはる」

夢からさめたように、小兵衛が、

「こっちの酒の仕度は、どうなったのじゃ？」

台所へ声を投げておいて、

「のう、弥七。いまのことは、夏目父子の耳へ入れぬほうがよかろう」

「承知いたしました。ところで、大先生……」

「何じゃ？」

「あの、夏目八十郎というお人は、大変な猫好きなのだそうでございますね」

「えっ……？」

「息子さんがいっておりました。根岸の隠居所には、何と七匹も飼っているそうなので」

「へーえ……」

秋山小兵衛は意外な面もちで、

「あの、八十郎がのう。わからぬものじゃ。わしは、あの女が、おたまを可愛がっていたものとばかり、おもっていたわえ」

またしても、小兵衛は茫然となった。

居間の障子の桟に、春の蠅がとまった。

庭に、風が光っている。

特別長編

二十番斬り

目眩（めまい）の日

秋山小兵衛（こへえ）は、暗い海の中に漂よっていた。

暗いといっても、真の闇（やみ）ではない。

空も海も鉛色となってい、その区別（けじめ）もつかぬほどであった。

波が、仰向（あおむ）けになった小兵衛の老体を、ゆるやかに揺すっている。

（あ……？）

小兵衛は、空の一点を凝視した。

灰色の空の一点に、何やら、人の顔のようなものがあらわれたからだ。

（お貞（てい）……）

まさに、二十数年前に死去した亡妻お貞の顔である。

お貞が、空から小兵衛に笑いかけた。

風もないのに雲がうごき、お貞は顔のみか、姿までもあらわした。

「お貞。いまごろ、どうしたのじゃ？」

声をかけた小兵衛へ、お貞は、むかしのままの穏やかな微笑を浮かべ、手招きをしはじめた。

「そこへ来いというのか？」

お貞は、こたえない。

手招きをつづけるのみだ。

「もう、そろそろ、行ってもよいが……」

いいさして、小兵衛は両眼を閉じた。

そのとき突如、稲妻が疾り、波が騒ぎ出した。

波のうねりに小兵衛の躰は、かたむき、かたむいたまま、海底へ吸い込まれて行く。

そこで、目がさめた。

「夢か……」

半身を起した秋山小兵衛の肌身に、冷めたい汗が滲んでいた。

朝には少し間があるらしいが、寝間の闇はあたたかい。

天明四年（一七八四年。閏年で、この年は一月が二回ある）三月十五日のことであったが、この日は現代の五月五日に当るわけだから、初夏の気配が日に日に濃くなり、寒がりの小兵衛をよろこばせる季節となっていた。

「あれ、どうしなさった？」

となりの寝床から、おはるの声がした。

「起してしまったか、すまぬ。なに、夢を見ていたのじゃ」

「へえ、どんな夢?」

「死んだ女房どのが、迎えに来てな。ふ、ふふ……」

「な、何ですよう、笑ったりして……」

飛び起きたおはるが、小兵衛へしがみつき、

「夢だろうが何だろうが、死んだ御新造さまに渡すものですか!!」

「おい、夢のはなしだ。むきになるな」

「ああ、もう変な夢なんか見て、いったい、何のつもりですよう」

おはるは両の拳で、小兵衛の胸板を叩いた。叩きつづけた。

「痛い。本気で叩くな。そんなことをすると、本当に……」

いいかけたとき、小兵衛は得体の知れぬ目眩に襲われた。

六十六歳の今日まで、目眩を感じたことなど一度もなかった秋山小兵衛だ。

立ちあがろうとしたが、立てなかった。

手足に知覚がなく、雲を踏んでいるようで、

「ああ……」

わずかに呻き、小兵衛は横ざまに倒れた。

驚愕の悲鳴が、おはるの口からほとばしった。

一

秋山小兵衛は、気を失なったわけではない。

しかし、意識がはっきりしていても躰がいうことをきかなくなってしまった。

もっとも、こういうときにはむりに躰をうごかさぬほうがよいと感じた小兵衛は、おはるにたすけられて寝床へもどり、

「小川宗哲先生に来ていただこう」

しずかに、そういった。

「あい。すぐ……すぐ、もどりますからね。ようござんすか。しっかりしていて下さいよ」

おはるにとっても、こんなことは初めてであった。

四十歳も年上の老夫なのだから、常人ならば、こうしたことの二度や三度、あってふしぎはないのだが、かねてから、おはるは関屋村の実家へ行ったときなど、

「うちの先生は天狗の生まれかわりだから、百までは生きていなさるよ」

などという。

父や兄は笑って聞いているけれども、おはるは、これまでに数え切れぬほど、小兵衛の非凡な生態を目のあたりにしているだけに、真実そうおもっている。

「だ、大丈夫ですね？　あの、しっかりして……」

「うろたえるな。早く行け」

「いやですよう、そんな怖い顔をして……」

おはるが泣き顔で飛び出して行った。

いつも使いをたのむ木母寺・境内の茶店へ駆けて行ったのだ。

小兵衛は両眼を閉じ、横向きに寝ている。

いつものように仰向けの姿勢で寝たら、吐気をもよおしたからである。

(この目眩は、何であろう?)

わからなかった。昨夜までは自分の老体に何の異状もみとめられなかったのだ。

朝の光りが少しずつ加わってゆく寝間の中で、

(あ、そうじゃ。こんなに早くから、宗哲先生を起してしまうことになった。これは気づかなんだわえ。わしも、ついに耄碌してきたか……)

本所・亀沢町に住む町医・小川宗哲は、いまも矍鑠たるものだが、年齢は八十に近く、小兵衛との親交も二十余年におよぶ。

(しまった。夜が明けきってからにすればよかった)

そのとき小兵衛は、裏手で妙な物音を聴いた。

だれもいない、この隠宅の台所の外で物と物とが打つかったような音がした。

(何であろう?)

半身を起しかけたら、また目眩が襲ってきた。

面倒になって、小兵衛は寝床からうごかぬことにした。

と……。

また、物音がする。

たとえば、何かの扉を引き開けるときの音といってよい。

雀が鳴きはじめた。

また、物音がする。しかし、この家の戸を開けたのではない。物音は、あきらかに裏手の戸外で起った。

何の音か、見当もつかぬ。

静寂がもどってきた。雀の声のみが、しだいに高まりつつある。

(気の所為だったか……)

もう、どちらでもよかった。

秋山小兵衛は、ぼんやりと、

(わしは今日、死ぬるやも知れぬな。どうも、そんな気がする)

感じてはいたが、苦痛はなかった。

苦痛はないが、ただ、気色が悪い。

こころみに仰向けとなってみたら、たちまちに吐気がした。

天井が、ぐるぐるとまわっているように見えた。

おはるが、駆けもどって来た。

茶店の若者へ、小川宗哲宅へ走って行ってもらい、すぐさま引き返して来たのである。

「せ、先生。もうちっとの辛抱ですよ」

「水をくれ」

「あい」

枕元(まくらもと)の水差の水を口にふくみ、おはるは口移しに小兵衛へのませた。

「苦しいですか?」

「むう……」

「しっかりして下さいよう」

「泣くな」

おはるは、小兵衛の左のてのひらを摩(さす)りはじめた。無意識にしているのだろうが、妙に気持ちがよい。

「おはる」

「あい?」

「わしの傍(そば)をはなれるな。よいか」

「あい」

「ゆっくりと摩ってくれ」

そのうちに小兵衛は、われ知らず眠りにさそい込まれて行った。

(あ……このまま、お貞のところへ行ってしまうのやも知れぬな。それもよい。それもよい

ではないか）

小兵衛は眠った。夢も見なかった。

「先生……起きて下さいよ」

ささやくおはるの声と共に、躰を揺すられて、小兵衛が目ざめると、目の前に、小川宗哲の血色のよい老顔が笑いかけている。

「あ、宗哲先生」

「そのまま、そのまま」

「かように早くから、御迷惑を、おかけしてしまいました」

「何の。医者にとっては日常茶飯のことでござるよ」

「相すまぬ」

「どうなされた？」

「突如、立ち暗みがして……」

「ほう」

「手足がきかなくなると共に、吐気をおぼえましてな」

「ふうむ」

うなずいた小川宗哲が、小兵衛の左手の脈をとった。

この様子を凝(じっ)と見まもるおはるの顔には、血の気がなかった。

二

小川宗哲は、小兵衛の脈をしらべたのち、躰の諸方を触診しつつ、

「なるほどのう。ふむ、ふむ……」

ひとりうなずく宗哲の顔に、微笑が波紋のようにひろがってきて、

「小兵衛さんは、いくつになられたかな？」

「六十六歳に相なりました」

「ふむ。小兵衛さんの躰に、今日のような徴候があらわれたのは少しもふしぎではない。あらわれるのが遅すぎたと申してもよろしい」

「と、申されるのは？」

「小兵衛さんの躰の仕組みが変ってきたのであろうよ。つまり……」

「つまり？」

「ようやくに老人の躰になった、とでも申したらよいかのう」

「なある……」

「おわかりかな？」

「わかったように、おもわれます」

「ま、とりあえず、この薬を……」

散薬を、ぬるま湯で小兵衛にのませて宗哲が、

「六十六歳で、ようやくに老人の躰に向いつつあるしるしを見たと申すは、いや、お若い、お若い」

おはるの、障子の紙のようだった顔に血の色がもどってきて、

「ああ、よかった」

「御新造、安心なされ。小兵衛さんの先は長いわえ」

「うれしゅうござんす」

「なれど御新造。そのためには、何事も、ほどほどにせぬといかぬ」

「あれ、そんなことは……」

おはるが真赤になって、

「そんなことは、どうでもいいのでございます」

間もなく、小川宗哲は待たせておいた町駕籠に乗って帰って行った。

それを見送り、もどって来たおはるが、

「これから、宗哲先生のところへ煎じ薬を取りに行って来ますけど、ひとりで大丈夫かね？」

「大丈夫じゃ」

「宗哲先生は、今日いちにち静かにしていれば、あとは、いつものとおりに暮してよいといっていなすったけれど……」

「わかった」

「では行って来ますけど、お腹(なか)は空(す)きませんかえ?」

「こんなときは、何も口にせぬほうがよい」

「若先生にも知らせておかないと、いけませんね」

「よしなさい。明日から平常どおりと、宗哲先生が申されたではないか」

「あい」

おはるが、妙にしおらしい。ともかくも、自分が小兵衛の胸を拳で打った途端に、小兵衛が倒れたものだから、強い衝撃を受けたらしい。

身仕度をして、おはるが隠宅を出て行った。

(そうか、躰の仕組みが変りつつある……そういうことか、なるほど)

こころみに仰向けになってみると、まだ少し目眩がするけれども、大分に気分はよくなってきている。

(何やら、疲れているようじゃ)

躰中のちからが抜けてしまい、瞑目(めいもく)していると心細くなってきた。

(こりゃいかぬ。わしの剣の修行は、こんなものだったのか。わしは、これほどにたよりない男だったのか)

小川宗哲は人の心の機微を心得つくした人物であるから、先刻の言葉も、そのままに受け取ってよいかどうかだ。あるいは、宗哲の言葉よりも容態(ようだい)は悪いのやも知れぬ。明日からは平常どおりにしてよいといっても、それだから癒ったということにはなるまい。

また、秋山小兵衛は眠りはじめた。そもそも、これほどに心身が萎え、眠りをむさぼるような小兵衛ではないはずだ。

どれほどの時間が過ぎたろう。

はっと、小兵衛が目ざめた。

裏手で、人のはなし声がしたのだ。

同時に、わけのわからぬ物音がきこえた。

春の日ざしが、居間の縁側に差し込んでいるのが、横向きに寝た小兵衛の目に見てとれた。寝所と居間の境の襖は、先刻、おはるが開け放ったままになっている。

裏手の人の声は、二人らしい。

小兵衛は、おもい出した。早朝、おはるが木母寺の茶店へ駆けつけて行った後で、裏手に妙な物音がしていたことを、だ。

あのときは気を失わぬまでも、小兵衛は一種の朦朧とした気分だったのと、躰が苦しいのに起きても、手足がいうことをきかないのだから、捨てておいたのだが、裏手へ何者かが侵入して来たことと先刻の物音とが関係があるとすれば、迂闊に見逃すことはできない。

この鐘ケ淵の隠宅は、大川(隅田川)をのぞむ堤の下の一軒家なのである。

すでに何度ものべたごとく、剣客として世をわたって来た者は、いつ何どき、どのような異変が待ち受けているやも知れぬ。恨まれずともよい恨みによって、小兵衛の一命をねらう者がいてもふしぎではないし、事実、そうした者が何人もいたのである。

秋山小兵衛は、すっと立ちあがった。

目眩はない。いや、目眩のことなど、このときの小兵衛の念頭にはなかった。立ちあがるときに、小兵衛は枕元の煙草盆から愛用の銀煙管を手にしていた。

小兵衛が、台所へ出た。

小窓の障子を開け、外を見まわすと、向うの物置小屋の前に侍がふたり、立っているではないか。

浪人ではない。羽織・袴をつけた侍で、小兵衛の目には、どこかの大名の家来のように見えた。二人とも浅目の編笠をかぶっている。

二人はうなずき合い、物置小屋の戸へ手をかけた。戸は開かない。

（はて？）

これが、小兵衛にもわからなかった。

小屋には戸締りをしたことがない。また、する必要もない。それが内側から戸締りをしてあるものだから、侍が手をかけても開かないのだ。おそらく物置の中の棒切れを心張にしてあるらしい。とすれば、小屋の中に何者かがいるということになるではないか。

だが、物置小屋の戸などは打ち破ろうとすればわけもない。

侍たちは、また、うなずき合ったと見るや、ぎらりと大刀を抜きはなち、一人が戸を蹴ったが、戸は破れなかった。

三

「よし」

叫ぶや、別の一人が物置小屋の戸へ体当りしようとして一歩さがった。

そのときであった。

「待て」

秋山小兵衛が、台所口からあらわれ、

「おのれらは何者じゃ。人の家へみだりに侵入した盗賊どもか」

あくまでも静かに、声をかけた。

「何!!」

「盗賊よばわり、怪(け)しからぬ」

「怪しからぬのはどっちだ。名乗れ」

「御老人」

よびかけて、一人が前へ出た。

「盗人(ぬすびと)が、この物置小屋の中に隠れている。われらは、そやつを捕えにまいったのだ」

「ほう。おもしろいな。それでは、お上(かみ)の手をわずらわせようではないか。この近くには、わしが親しくしている御用聞きもいる。すぐに来てもらおう」

この小兵衛の言葉に、二人の侍は、あきらかに動揺した。

「どうじゃ、そういたそうではないか」

「う……」

ふたりは、また、うなずき合った。

そして、ぱっと小兵衛へ向き直り、じりじりと迫って来た。

「ふうむ。この老いぼれを殺す気か」

にやりと笑った秋山小兵衛が、

「人殺し!!」

大声を張りあげたものである。

単なる大声ではない。それは、剣を把(と)って闘うときの気合声そのものであった。

ふたりがびくりと足を止めた瞬間、飛鳥のごとく走り寄った小兵衛が、いきなり、一人の侍の編笠をつかみ、毟(むし)り取った。

「あっ」

あわてて大刀を振りまわすやつから、ぱっとはなれた小兵衛が銀煙管を投げつけた。

これが、侍の鼻柱へ命中した。余人(よじん)が投げた銀煙管ではなかったから、強烈な打撃をあたえたにちがいない。

「う……」

侍は左手に鼻を押えて、立ち竦(すく)んだ。

「おのれ!!」

もう一人の侍は怒りの呻きを洩らしたが、編笠はとらぬ。

「これ、どうした。遠慮をせずにかかって来い」

「うぬ」

「かかって来られぬところを見ると、おのれらは何ぞ、後めたいことでもあるのか。どうも、そうらしいのう」

いいながら、一歩二歩と近寄って来る秋山小兵衛は素手であった。それだけに尚、小さな躰が二倍にも三倍にも見え、二人とも不気味になってきたのであろう。じりじりと後退したかと見る間に、二人は身をひるがえして庭の方へ逃げた。

すでに墨堤の桜花は散り、隠宅の庭の新緑があざやかで朴の木は白い花をひらき、忍冬は薄紅色の花をつけている。

その庭を走りぬけ、二人の侍は堤への小道を駆けのぼって行った。

小兵衛は、それを見とどけてから物置小屋の前へもどった。

銀煙管に撃たれた侍の鼻から落ちた血が、地面に振り撒かれていた。

そして、小屋の前にも戸の一部にも、乾いた血のようなものがついているのを小兵衛は見た。

陽光に、風が光っている。

庭のあたりから、はらはらと白い蝶が一羽、小兵衛の目の前へたゆたい出て来た。

小兵衛は、しばらくの間、物置の戸を見つめていたが、ややあって声を張り、

「これ、小屋の中におらるる人。此処を秋山小兵衛の隠宅と知ってのことか？」

返事はない。なかったが、あきらかに小屋の中で人がうごく気配がした。

「お前さんは、何ぞ悪事でもはたらいたのか？」

「……………」

「そのようにもおもえぬが……」

いいさして、秋山小兵衛が戸の一ケ所を軽く蹴った。どこがどうなったものか、先刻の侍たちが引き開けようとしても開かなかった小屋の戸が桟を外れたようだ。

すかさず、戸を引き開けた小兵衛が一歩退って、目を凝した。

まさに、人がいる。

一人ではない。二人であった。

一人は侍で、一人は四、五歳の子供である。

小屋の中は薄暗くて、よくわからぬが、子供のほうは、ぐったりと侍の腕に抱かれている。

侍は、子供のくびのあたりへ顔を埋めるようにしていた。

「これ、おぬしを追って来たらしい侍ふたりは、わしが追いはらった。安心してよい。さ、小屋から出てまいれ」

「は……」

微かにこたえた侍が顔を伏せ、子供を抱いたまま立ちあがろうとして、立ちあがれなかっ

た。足も痺れ、何処かに傷を受けているらしい。

「よし。手を貸してやろう」

小屋の中へ入った小兵衛へ、侍が、ふるえる声で、

「あ、秋山先生」

と、いうではないか。

「何と？」

「せ、先生。井関助太郎でございます。おなつかしく存じます」

「何？」

ようやく顔をあげた侍を見て、

「おお、まさに……」

「じゅう、十、十五年……」

いいかける井関助太郎の声が、泣声になった。

「おお、十五年ぶりになるかのう。わしも年をとったが、お前は肥ったのう。見ちがえるほどじゃ」

「あれより、長らく……長らく無沙汰のまま打ちすぎまして、まことに……まことにもって、申しわけも……」

「もうよい。泣くな」

井関助太郎は、小兵衛の門人であった。

彼が小兵衛の許を去ったのは、たしか二十五歳だったのだから、いまの井関は四十歳になっているはずだ。

「その子は、お前の子かえ?」

「いえ、何をもってそのような」

「別に、あわてなくてもよいではないか。ほう、疲れ切って、よく眠っているらしいのう」

「は……」

「井関。お前が受けた傷は、重いのか?」

「いえ……」

「軽くもなさそうじゃ。さ、まいれ」

小兵衛は井関の腕をつかみ、躰を引き起してやった。

四

小川宗哲宅から薬を受け取り、隠宅へ帰って来たおはるが目をみはった。

何となれば、病気で寝間に寝ているはずの小兵衛が起きていて、そのかわりに、見たこともない中年の侍が寝床に横たわっていたからだ。小兵衛は傷の手当を終えたところであった。

しかも小兵衛の傍に敷きのべられた、おはるの寝床には四、五歳の子供がぐったりと横たわっているではないか。

「あれえ。ど、どうしたのですよう？」

「さわぐな」

「だってあの、病気は？」

「あ、そうじゃ。わしは病気だったのか、忘れていた」

するとと、傷の手当を受けていた井関助太郎が、

「せ、先生が御病気ですと？」

半身を起しかけて、

「痛ッ……」

と、呻いた。

「それ見よ。まだ早いわ。しずかに寝ていろ」

「はっ」

「おはる」

「あい？」

「これから、ちょいと忙しくなるぞ。お前にもはたらいてもらわねばならぬ」

小兵衛の声には生気がみなぎっている。眼の光りも強く、今朝がたの小兵衛とは別人のようであった。

「でも先生。こ、こんなに忙しくして、いいのですかよう。また引っくり返ったら……」

「この人のおかげで、病気が何処かへ行ってしまった。おはる。この人はな、むかし、わし

の道場にいた門人で井関助太郎という。さよう。お前が、まだ、わしの手許へ来る前のことじゃ。これ井関。これはな、いまのわしの女房じゃ。見知っておけ」

「あっ。これは、まことに……おもいがけなく、秋山先生のお助けをいただきまして、この、このように、お邪魔を……」

「井関」

「はっ」

「お前も年の功か、ちゃんと人前で挨拶ができるようになったではないか」

「畏れいりましてございます」

井関の傷は左の太股の裏側を、かなり深く切られていたが、井関が自分で血止めをしておいたのがよかった。いずれにせよ、医者の手当を受ける必要がある。

「おはる。井関と、この子に何か食べさせてやってくれ。わしも腹が減ってきた。先ず腹ごしらえをして、万事はそれからじゃ。さ、急げ」

小兵衛に追い立てられ、おはるは何が何だかわからぬままに台所へ飛び込んだ。

小兵衛は、件の子供に目をやった。

年齢は、小兵衛の孫の小太郎より一つか二つ年上に見えたが、疲れ切って眠っている寝顔の人品がよく、妙に大人びて見える。この子が井関の子でないことは、たしかといってよいであろう。身なりは町家の子のものだが、品は贅沢なもので、髪もきれいに結いあげてある。

だが、井関と共に逃げまわっていたらしく、頰や衣類に泥がついていた。

子供を見つめていた視線を、小兵衛は井関へ移した。

井関も、小兵衛を見つめていた。

その井関の、若いころそのままの、大きな双眸には泪があふれんばかりにたたえられている。

「井関。いったい、これは何事なのじゃ?」

「……………」

井関はこたえぬ。ただ、泪の眼で小兵衛を見つめるのみだ。

四十になったはずの井関助太郎だが、小肥りの体軀といい、豊頰の童顔といい、十歳は若く見える。

「これ、井関。わしにも申せぬことか?」

やや声音を強めて問う小兵衛へ、井関が両手を合わせて拝むかたちを見せた。

「こいつめ」

「……………」

「十五年前と少しも変らぬ。見かけによらぬ強情者めが。よし、もう拝むのはやめて、少し眠れ、いまのうちに躰をやすめておくのじゃ」

「はい」

小兵衛は、堀川国弘一尺四寸余の脇差を左手にして、あたりに気を配りつつ、台所へ行った。

「おはる、何をつくっている?」

「あい。鶏と葱を入れて、お粥を……」

「それがよい。それをつくったら、すまぬが大治郎を呼んで来てくれ。心得ているだろうが、舟で行け、よいな」

「ねえ、先生。いったい何が起ったのですよう?」

「わしも知らぬ」

小兵衛が低声で、先刻の様子を語って聞かせ、

「よほどの仔細があるとみえる。あの男は浪人の子に生まれたはずだが、見れば月代もきれいに剃りあげているし、身なりも悪くない。袴もつけているところを見ると……」

小兵衛は沈黙した。

そして、不安そうなおはるを台所へ残し、居間の縁側へ出た。

こうしているうちにも、先刻の二人の侍があらわれるやも知れぬ。今度あらわれるときは、

(助太刀を連れて来るにちがいない)

小兵衛は、そうおもっている。

食事の仕度がすむと、おはるは後を小兵衛にまかせ、庭へ出て行った。

この隠宅の庭には、鐘ケ淵の水が引き込んであり、小舟が一つ浮いている。秋山小兵衛の持ち舟だ。

おはるは小舟へ乗ると、たくみに竿をあやつり、鐘ケ淵の渦を乗り切って、大川へ出た。

大川を対岸の橋場へわたれば、小兵衛の一人息子・秋山大治郎の道場（兼住居）は近い。

おはるは、舟を橋場の船宿の舟着きへあずけておいて、大治郎の道場へ急行した。

すでに、昼をまわっている。

秋山大治郎は道場で、数少ない門人へ熱心に稽古をつけていたが、おはるから知らせを聞くや、井戸水をかぶって着換えをし、妻の三冬へ、

「後をたのむ。何やら容易ならぬ事のようだ」

「はい。そのようにおもわれまする」

三冬は、この年、おはると同じく二十六歳になった。

夫婦の間に生まれた小太郎は、いま、三冬の傍で昼寝をしている。道場から門人たちの気合声がきこえ、激しく木太刀の打ち合う音が響きわたっているのに、生まれたときから、この家で育った所為か、小太郎はすやすやと寝入っていた。

「井関助太郎とは耳にしたことのない名前だ。私が父上の手許をはなれていたころの門人らしいな、三冬」

「さようでございましょう」

大治郎が大刀を腰にして、おはるに、

「義母上。お供を」

と、いった。

自分より五歳も年上の大治郎に、母よばわりされることを初めは嫌がっていたおはるだが、

いまは、それが当然というような顔をしている。

間もなく、おはるは大治郎を小舟に乗せ、隠宅へ引き返して行った。

五

この日。

日が落ちるまでに、子供を抱いた井関助太郎は、橋場の秋山大治郎宅へ身を移した。

その前に、秋山小兵衛は隠宅の背後の堤へあがり、入念に警戒をした。

小兵衛の着物に着換え、尻(しり)を端折(はしょ)った井関は、子供を抱き、よろめきながらも庭の木立づたいに、小舟が舫(もや)ってある舟着きへ行き、舟に乗り込んだ。

つづいて大治郎が、あたりに目を配りつつ、乗り込む。

さほどに曲者(くせもの)どもの目をおそれるなら、夜になって舟を出したらよさそうなものだが、そうしたものではない。

夜の闇(やみ)は、こちらの姿も隠してくれるが、曲者どもの姿をも隠す。

それよりも、むしろ、こちらの目がとどく明るいうちに、舟を出したほうが安心だと、小兵衛はおもったのだ。

隠宅の内外に近づく怪しい者の影はなかった。

(やつどもが来るとすれば、今夜じゃ)

このことである。

すでに舟に在ったおはるは、三人が乗り込むと、竿をつかんで鐘ケ淵から大川へ出た。

大治郎は舟の上から岸辺へ目を配り、井関は子供を抱え、頭から筵をかぶっている。

舟が、橋場の船宿〔鯉屋〕の舟着きへ着くと、先ず大治郎が井関をたすけて舟から出た。

井関は子供をおはるにわたし、大治郎と共に去った。おはるの手によって、井関の髪かたちは町のものとなっていたが、その上から頰かぶりをし、杖を突いている。

子供を抱いたおはるは、そのまま舟に残っていた。すべては秋山小兵衛の指図どおりにしているのだ。

「御新造さん。何をしていなさる?」

舟着きへ出て来た顔なじみの鯉屋の船頭に、

「ええ、ちょいと、人を待っているのですよ」

さりげなく、おはるがこたえる。

「そのお子は若先生の……いや、どうもちがうようだな」

「私の子」

「あれっ。まさか……」

「わかりませんよう、うふ、ふふ」

「冗談はよしなせえよ」

船頭が去ってからも、おはるは舟からうごかぬ。

いざとなれば、すぐ竿を取って大川へ出るつもりであった。

晩春というよりも初夏の夕暮れで、落ちそうでいて、なかなかに日が落ちぬ。

ややあって、

「お待遠さまでした」

大治郎の妻・三冬が、舟着きへあらわれた。

「若先生は？」

「二人とも無事に」

「それは何よりでござんす」

「まあ、可愛らしい子ですこと」

「三冬さま。今朝から、いろいろとさわがしい目に合っているのに、この子は物怖じもしないのですよ」

「ふうむ」

凝とのぞき込む三冬へ、子供がにっと笑った。

「あれ、笑ってるよ」

と、おはる。

子供を抱き、道へ出て歩き出したおはるから二歩ほど下って三冬が歩む。

老中・田沼意次の妾腹の子として生まれ、いまは剣客・秋山大治郎の妻となっているが、若いころは、一刀流の名手として知られた三冬である。この三冬に護られて行くのだから、安心なわけであった。

　大治郎宅に先着していた井関に子供をわたすと、子供は実の父親へ甘えるように、ひろい井関の胸へしがみついた。

「おお、よし、よし。よかった、よかった」

　子を抱きしめる井関助太郎の眼から泪が一筋、頬をつたわった。

　子供のほうもまた、両眼に泪をいっぱいためているが、

「ほんとうに、あの子は唖かとおもうほど、口をきかない子ですよう」

　と、隠宅へ帰って来た、おはるが小兵衛へ告げた。

「ふうん、そうか……あ、そうじゃ。お前、今日は朝から何も食べていなかったのう。さぞ、腹が空いたろう」

「空いたのを通り越してしまいましたよ」

「すまなかった。さ、わしが飯の仕度をしておいてやったぞ。わしは、いま、すませたところじゃ」

　台所へ行った小兵衛が、膳を運んで居間へもどった。

卵を落した、熱くて濃目の味噌汁に、炊きたての飯。それに沢庵をきざんだのへ切り胡麻をふりかけただけの膳だったが、おはるはかぶりつくようにして、飯を四椀も食べた。

「どうじゃ、満足したか？」

「おかげさまで人心地がつきました。ありがとうござんす」

手を合わせるおはるへ、

「さぞ眠たかろうが、いま少し気を張っていてもらわねばならぬ」

「えっ。まだ何か?」

「わしと一緒に、ちょいと外へ出てもらいたい」

「何処へ行くのです?」

「小川宗哲先生の御宅へ行くのじゃ」

「また、目眩(めまい)がするかね、先生」

「いや、わしは平気だ。ともかくも、はなし次第によっては二、三日、お前を宗哲先生の御宅へ泊めていただくことになるやも知れぬから、わずかな身のまわりの品々を包みにしなさい」

「何でまた、急に……」

「用心じゃ。この家にいては、ちょいと危い。お前にもしものことがあっては取り返しがつかぬ」

「あれ、怖い」

「日が暮れてから、この家(や)の周りにも人の目が光ってきたようじゃ」

「脅かさないで下さいよう」

秋山小兵衛は今朝の目眩など、忘れきってしまったらしい。

例の軽衫(かるさん)ふうの袴をつけた小兵衛は、国弘の脇差に藤原国助(ふじわらくにすけ)の愛刀(大刀)を腰へ帯し、身仕度を終えたおはるをうながして、舟を大川へ出させた。

小兵衛をのせて、おはるは、またしても大川をわたった。

船宿・鯉屋に着くや、小兵衛は、鯉屋に出入りの駕籠屋から町駕籠を二挺よんでもらい、小川宗哲宅へ向った。

たとえば、舟を出したことを、曲者どもが見たとしても、陸とちがって、すぐさま後を尾けることは不可能だし、夜の闇の中を小兵衛の舟が何処へ着いたか、わかるはずがない。

こうしたときに持ち舟があるのは、まことに便利なのだ。

宗哲は家にいたが、駕籠でやって来た秋山小兵衛を見るや、

「それ、もう癒った」

「は。今朝がたは、まことにもっておそれ入りました。かたじけのうござった」

「おや。おはるさんも一緒か」

「はい」

「まさか、碁を打ちに来たのではあるまいな?」

小兵衛と宗哲は、仲のよい碁敵である。

「宗哲先生。怪我人がおりましてな」

「ほう……」

「私の旧門人なのでござる」

「わしに手当をせよ、とか」

「申しわけもありませぬ」

「何の。医者のつとめじゃ」

宗哲のところには若い医生がいるけれども、まだ、たよりなかった。

「それに、宗哲先生をおたのみするについては、事情がござる」

「何の？」

「このことは、内密にいたさねばならぬので」

「ふうむ……それはまた、どのような？」

「それが、いまのところ、私にもよくわからぬので……」

「はて？」

二挺の町駕籠は待たせてある。

「まことにもって畏れ入りますが、今夜一晩、おはるを泊めていただきたい」

「それは、よいが……」

いいさして小川宗哲が、小兵衛を見まもって、

「それで小兵衛さんがひとり、今夜は隠宅ですごされる？」

「さよう」

「ふうむ」

唸った宗哲が、

「今夜は、両刀をたずさえておられるな」

「はい」

「容易ならぬことと見受けたが……ま、はなしは後にいたそう。先ず、傷の手当を」

「お供いたす」

六

井関助太郎の傷は、小兵衛がおもったより深くはなかったが、

「小兵衛さん。この傷は、やはり今夜のうちに手当をしておいたほうがよかった」

傷の縫合を終えた小川宗哲が、そういった。

井関は、今朝からの疲労もあって、ぐったりとなっている。

井関が抱いていた子供は、居間の小太郎と枕をならべ、熟睡していた。

先刻、三冬が、その子に、

「坊やのお名前は？」

こころみに尋ねたところ、

「とよまつ」

と、こたえたそうな。

とよまつ、は、豊松であろう。

豊松は、三冬が居間へ連れて行くまで、井関の枕元に坐ってはなれようともせず、さも心

配そうに井関の顔をのぞき込んでいたそうな。

井関が「大丈夫、大丈夫」というように何度もうなずいて見せると、安心をしたような微笑をかすかに浮かべる。この間、両人とも無言であったという。三冬は、豊松を見ていて、何とはなしに、

(このお子は、武家のお子ではあるまいか?)

直感を、おぼえた。

「ふうむ……武家の子、な」

小兵衛は大治郎と顔を見合わせた。

縫合を終えた後で、小川宗哲が服用させた薬湯が効いたのか、井関助太郎は深い眠りに落ちていた。

井関は道場に屏風を立てまわして寝ている。今夜は大治郎が付きそって寝るつもりであった。

「この井関さんは、小兵衛さんの、むかしの門人じゃと聞いたが……」

「さようでござる。なれど、その前に、井関の父親で平左衛門と申すのが、長らく、私の道場で稽古をしておりましてな」

「ほう」

「大治郎も、おぼえているはずじゃ。少年のころに、よく稽古の相手をしてもらったゆえな」

「はて？」

と、大治郎。

「もっとも、そのころは何ぞわけがあったかして、名を変えていたわえ」

「何という名で？」

「山村源助(やまむらげんすけ)」

「おお……」

膝(ひざ)を打った秋山大治郎が、

「あの痘痕(あばた)の……」

「おもい出したか」

「はい」

当時、むろんのことに天然痘(てんねんとう)は克服されていない。癒った痕(あと)が顔に残っている人びとは少なくなかった。

「父上。たしか山村さんは、石見(いわみ)・津和野(つわの)の浪人でしたな」

「うむ。わしも、そのように聞いた。さて、今夜はこれまでじゃ。わしは宗哲先生をお送りして……」

「かまうな、小兵衛さん。子供ではあるまいし、駕籠も待っていることじゃ」

「いや、先生。私も今夜、泊めていただきたいのでござる」

「おお、さようか。では、まいられい」

大治郎が、ほっとして、

「父上。安心をいたしました」

「なぜじゃ？」

「なぜと申して……先刻のおはなしによると、この井関殿を追って来た二人の侍が……」

「助太刀でも連れて、また、あらわれると申すのか？」

「はい」

「あらわれたとき、そやつどもに、わしが負（ひ）けをとるとでもおもうたか？」

「いえ、そのようなことは……」

「わしが今朝がた、目眩を起したことを、おはるに聞いたのであろう。どうじゃ？」

「は……」

「わしも年じゃ。そろそろ危いのう。おはるが今夜は宗哲先生の御宅へ泊っているゆえ、わしも泊めていただくのじゃ」

「はあ。それがよろしゅうございます、父上」

「たとえ、目眩が起きても、な」

「そのことです、父上」

「うふ、ふふ……」

秋山小兵衛は薄く笑い、小川宗哲と共に外へ出た。町駕籠が二挺、外に待っていた。

やがて、二人は本所（ほんじょ）・亀沢町（かめざわちょう）の宗哲宅へもどって来た。

「その駕籠、一挺だけ残しておいてくれ」

と、小兵衛がいったので、宗哲が、

「や。泊って行くのではなかったのか？」

「隠宅へもどります」

「ひとりで？」

「はい、さよう」

「危くないのか？」

「なあに、化け物が出て来たら、そのときのことでござる」

「小兵衛さん。どうじゃ、わしが申したとおり、すっかり癒ってしまったろう？」

「はい。おかげさまにて」

「よろしい。とどめてもとまらぬ小兵衛さんじゃ」

秋山小兵衛は、奥から飛び出して来たおはるへ、

「すまぬが、明日、四谷の弥七へ連絡をつけ、鐘ケ淵へ来るようにたのんでおくれ。駕籠を使え。よいな」

「わかりました。けれど先生……」

「もう大丈夫じゃ。わしのことよりも、お前、よく眠っておけよ。明日もいそがしいぞ」

こうして小兵衛は、鐘ケ淵の隠宅へもどった。

すでに、夜は更けている。

隠宅へ着くと、先ず何を置いても、のむものをのまぬと気が落ちつかなかった。

戸締りをし、行燈へ火を入れてから、小兵衛は台所へ入り、樽の清酒を片口へうつした。

台所に、酒の香がただよう。

「うむ」

ひとりうなずき、片口の酒を茶わんへうつし、ごくりと喉を鳴らしてのむ。

のみながら、窓の障子を開け、外を見た。

闇の中に、ちらりと物のうごいた気配を、小兵衛は感じた。

「ふうむ……」

また、茶わんの酒をのむ。

のみほしてから片口の酒を茶わんへ注ぎ、それを手に小兵衛は居間へもどり、大刀のみを腰から外した。

となりの寝間には、井関助太郎が横たわっていた寝床が、そのままになっている。

酒をのみ終えた小兵衛は、行燈の火を小さな有明行燈へ移し、これを枕元へ置いた。

寝間と居間の境の襖は、開け放したままだ。

つぎに脇差を外し、大刀と共に枕元へ置いてから、小兵衛は腹這いとなり、煙草盆を引き寄せた。

愛用の銀煙管で一服、二服……煙草を吸う秋山小兵衛の両眼が、針のように細くなった。

小兵衛が何か物事を考えているときの眼つきといってよい。

煙草を詰め換えて、吸う。

内も外も静まりかえって、物の気配もなく、なまあたたかい夜の闇が、小兵衛を抱きすくめている。

「ふむ」

鼻でうなずき、小兵衛は有明行燈の灯りも消してしまった。

こうなると、真の闇だ。有明行燈は寝間で使用する。当時は電灯のように便利なものはない。行燈の火を消してしまえば真暗闇となってしまうから、いざというときには何もできない。たとえていうなら、小用に立つにしても、いくばくかの灯りがなくては不便ゆえ、有明行燈を寝床の近くへ置く。

ともかくも灯りを消してしまった小兵衛は、寝床へ横たわった。

躰は疲れているのだが、そこは、若いころから鍛えに鍛えてきた秋山小兵衛だ。眠るまいとおもえば、二日三日は眠らなくとも平気なのである。

長いとも短かいともいえる時間が過ぎて行ったが、そのうちに、台所の方でカタリと物音がした。

小兵衛の左手がそろりとうごき、国弘の脇差をつかんだ。

台所の戸を外そうとしている物音が起った。

（来たな）

小兵衛は半身を起し、脇差の鯉口を切った。

「ええい。かまわぬ。打ち破れ!!」

台所の方で、叫ぶ声がきこえた。

そして、いきなり戸を打ち毀しにかかる物音がした。

同時に、庭に面した居間の戸が叩き毀され、屋内にながれ入る龕灯の光りと共に、黒い影が四つ、居間の縁側へ躍り込んだ。

台所からも龕灯の光りが疾り、三つの人影が飛び込んで来た。

合せて七名。彼らが抜き放った白刃が、龕灯の光りに青白くきらめいた。

秋山小兵衛は壁際へ身を移したが、そのとき、

(あ……)

またも、目眩をおぼえた。

「逃すな。老いぼれめ、必ず討ち取れ!!」

「おう!!」

居間から寝間へ、覆面をした屈強の侍が先頭に立ち、飛び込んで来た。

皆川石見守屋敷

その夜の襲撃について、秋山小兵衛は御用聞きの弥七へ、こういっている。

「たしかに、わしは危なかったのだろうなあ。どうもわからぬ。よく、おぼえていないのじゃよ、弥七。ともかくも、曲者どもが飛び込んで来たとき、またしても目眩が起った。もう、だめかとおもった……さ、その後が、どうなったか……わしは無我夢中だった。こうして生きていて、傷ひとつ受けなかったからには、わしも何とかうごいて、立ち回ったのだろうよ。気がついたときには、もう曲者どもは逃げていたのじゃ」

翌日の昼前に、町駕籠を飛ばし、鐘ケ淵の隠宅へ駆けつけて来た四谷の弥七は、

(何を、おっしゃることか……)

苦笑を浮かべ、手下の傘屋の徳次郎を見やった。

徳次郎も、笑いを堪えている。

弥七を迎えに行ったおはるは、台所へ入って朝餉の仕度にかかっていたけれども、むろんのことに小兵衛の言葉を、まともに受けとってはいない。

(いやだよ、先生ときたら、空惚けて、あんなことをいっていなさる)

このことであった。

それが証拠に、寝間から居間、縁側から庭先へかけて、点々と血汐が振り撒かれてい、曲者どもが捨てて行った龕灯が一つ、寝間に落ちていたのだ。

小兵衛は傷を受けていないのだから、諸方にしたたっている血汐は曲者どものものといってよい。

すなわちこれは、曲者どもが小兵衛の脇差に斬られたことになるではないか。

弥七が苦笑したまま、

「大先生。それで、押し込んで来たやつらは何人でございました」

「わからぬ」

「え……?」

「わからぬよ。自分のことがわからぬのに、相手のことがわかるわけもないではないか」

「うふ、ふふ」

「何が、おかしい?」

いつになく、秋山小兵衛は真面目顔なのである。

「わしは、嘘をいっているのではない」

「それは、もう……」

「わしもな、この年になって、あんなことは初めてだったのじゃ」

「はい、はい。ですが大先生……」

「お前も真面目に聞いてくれなくては困る。徳次郎もそうじゃ」

「相すみませんでございます」

あやまったが、弥七も傘徳も本当にしてはいなかった。

だが、この日の夜も小川宗哲宅へ泊りに行ったおはるが、宗哲に小兵衛の言葉を告げるや、

「うぅむ」

唸り声を発した宗哲は眼を空間に据え、身じろぎもしなかったが、ややあって膝をたたき、こうつぶやいた。

「小兵衛さんは、ついに、そこまで到達なすったか……」

おはるは、隠宅にいるのが危険なら、関屋村の実家に帰ってもよいのだけれども、一つには宗哲宅にいたほうが何かと小兵衛のためにはたらきやすいのと、一つは小兵衛の目眩が心配だったからである。

おはるは、熱い味噌汁と炊きたての飯、炒り卵を老いた夫のために仕度をした。

弥七と徳次郎は、すでに腹ごしらえをしている。

「旨い」

舌を鳴らして味噌汁を啜る小兵衛に、四谷の弥七が、

「御新造さまから、およそのことは聞きましたが、今度の事件もまた、妙なことでございますねえ」

「それよ」

「はい?」

「わからぬ」

徳次郎がにやりとして、小兵衛に睨まれ、くびをすくめた。

「わしはな、昨日、助けてやった井関助太郎よりも、父親の平左衛門のほうが長いつきあいだったのだ。弥七も知っているはずじゃ」

「いいえ、存じません」

「山村源助なら知っていよう。お前がわしの道場へ通っていたころ、よく稽古をつけてもらっていたではないか」

「はい、そのお方なら、忘れるものではございません」

「その山村の本名が、井関平左衛門なのじゃ」

「ええっ……」

ここに至って、弥七が身を乗り出した。

「だからのう。捨ててもおけぬことになった」

「ごもっともでございます」

山村源助こと井関平左衛門は、すでに、この世の人ではない。

—

秋山小兵衛が、井関平左衛門を知ったのは三十数年前のことだ。

当時、三十をこえたばかりの小兵衛は、まだ、自分の道場をかまえてはいなかった。江戸でも屈指の剣名をうたわれた、無外流・辻平右衛門の高弟として麴町の道場へ通いつめ、恩師の代稽古をつとめていたのである。

或る日、恩師によばれ、居間へおもむくと、四十がらみの侍がいた。

「秋山。この仁は山村源助殿と申される。しばらく当道場にて稽古をしたいといわれる。よろしくたのむ」

「は……」

小兵衛が、井関を見やると、

「おうわさは、かねがね辻先生よりうけたまわっております。山村源助でござる。よしなに、お引きまわし下さるよう」

こういって、井関はかたちをあらため、折目正しい挨拶をした。その様子を見て、小兵衛は一目で好感を抱いた。

この日、井関は間もなく帰って行ったが、その後で、また辻平右衛門が小兵衛を居間へよび、

「先刻の山村源助殿、な……」

「はい？」

「流儀は一刀流じゃ。かなりつかう」

「わしが、おぬしに、わざわざ引き合わせたのは、おぬしなれば、あの男と気が合うとおもうたからじゃ」

「は」

「末長く、つきあってやってくれい、たのむ」

「はい」

「心得ましてございます」

辻平右衛門が、井関の本名と偽名を小兵衛に打ちあけたのも、このときであった。

恩師が、ここまで念を入れるからには、それ相応の事情があるにちがいなかった。

「先生と山村殿とは、長らくの御交誼が？」

何気もなく小兵衛が尋ねると、辻平右衛門は、こたえなかった。

（何やら、わけがあるような……）

そうおもったが、恩師の、こうした姿に慣れていたので、強いては尋ねなかったのだ。

必要以外の事は、一言も口にせぬ恩師の性格を、小兵衛はよくわきまえていた。

「なまじ、口にのぼせると味気なくなることもあり、却って肝要の事が通ぜぬ場合もある。言葉と申すものは不自由なものよ」

このおもいが辻平右衛門を無口にさせたのであろうか。

さて、山村源助と名乗った井関は、翌々日から道場へ通って来た。

井関の自宅は、千駄ケ谷の正覚寺の裏と聞いた。

井関は、すぐれた剣客で、小細工をせぬ堂々たる剣法であった。必勝の木太刀を上段に振りかぶり、凄まじい気魄で迫って来ると、秋山小兵衛も圧倒されることがあった。

二人は、すぐに呼吸が合い、たまさかには道場内の小兵衛の部屋で、酒を酌みかわすようになったが、小兵衛は井関の身の上については、ほとんど立ち入ることをしなかった。

それが井関には、うれしかったらしい。

あるとき、二人して酒をのんでいた折に、井関が、

「秋山殿は、お子がおられましょうな？」

「いや、女房もいませんよ」

「さようか。そうは見えぬ。お子が二人、三人はいるように見え申す」

「井関さん。あなたのお子は？」

「ひとり。まだ幼ない子で、名を助太郎と申します」

と、このときは井関平左衛門の痘痕の顔がゆるみ、口元に、めずらしく、たのしげな微笑が浮かんだ。

その幼なかった子が、三十数年後のいま、秋山小兵衛によって危急を救われたことになる。

「これは、初めてうかがいました」

と、四谷の弥七が、

「あの方は、いつも、身ぎれいにしていらっしゃいましたね」

「浪人ながら心がけがよいと見え、小金を持っているようだったわえ」

「私が、死んだ親父の跡を継ぎ、お上から十手をゆるされましたとき、自分の志だとおっしゃって、二十両もいただきました」

「そんなこともあったのう」

辻平右衛門が江戸の剣術界を引退し、山城の国・愛宕郡・大原の里へ引きこもった後、辻道場では後継者をめぐっての争いが起り、これに嫌気がさした秋山小兵衛は、ついに独立し、自分の道場をかまえたのであった。

小兵衛の道場は、四谷の仲町にあった。

井関平左衛門は、そのとき金五十両を、

「こころばかりの御祝いでござる」

と、小兵衛へよこした。

当時の五十両は、江戸の庶民一家族が五、六年は暮して行けるほどの大金であった。

この金によって、小兵衛は、どれほど助けられたか知れない。

こうした間柄になっていながら、井関は一度も小兵衛を自宅へ招いたことがなく、したがって小兵衛は井関の妻子を見たことがない。

井関の一人息子の助太郎が、小兵衛の門人となるのは、ずっと後のことだ。

(井関さんの妻女は、どのような女であろうか?)

小兵衛は興味を抱いていたが、井関の口からも、妻女について聞いたことは一度もなかった。

「弥七。後になってわかったが、そのころの井関さんには妻女がなかったのじゃ。助太郎の生みの母は、すでに亡くなっていたのじゃ」

もっとも、井関平左衛門は、自分が死ぬ二年ほど前に、後妻を迎えている。

これが、助太郎の継母となった女だ。

井関は、再婚したことも小兵衛には打ちあけていない。

二

井関平左衛門が急死したのは、たしか明和四年（一七六七年）の秋だから、四谷の弥七が亡父の跡を継いだ次の年ということになる。

そのとき、秋山小兵衛は四十九歳になっていたわけだ。

「いまから十七年も前のことじゃ。ふうむ。そうなるかのう」

小兵衛が憮然となって、

「長いようでもあり、短かいようでもあり……」

「大先生。そんな、むずかしい、怖いお顔をなさるのは、おやめになって下さい」

と、弥七。

「どんな顔をしていた？」

そこへ、おはるが割って入り、

「このごろは、いつも、あんな顔をするのですよ、弥七さん」

「いつも？」

「ええ、いつも。この坊やったら、嫌がらせをおぼえたのですよう」

傘屋の徳次郎が、ぷっと吹き出した。

すると小兵衛が、

「何とでもいえ。人はのう、年をとれば子供に返るのじゃ。ゆえに、ちかごろは、やたらにあちこちの若い女の乳をのみたくなる」

「な、何ですって!!」

と、おはるが眉をつりあげた。

「見よ弥七。怖い顔というのはそれ、その、おはるのような顔をいうのじゃ」

「これは、どうも」

ところで……。

井関平左衛門は、急死する一年ほど前から、道場へあらわれなくなっていた。

病魔が、躰を蝕みはじめたらしい。

急に、躰も顔も痩せおとろえてきて、

（はて、どうしたのか？）

小兵衛がおもううちに、ぷっつりと道場へ来なくなってしまった。

心配になった小兵衛が、井関の自宅を訪ねたこともある。

千駄ケ谷の正覚寺裏と聞いたことがあったので、出かけてみると、寺はあったが井関の家はなかった。

（はて？）

二度三度と周辺を探しまわってみたが、どうしても見つからぬ。

（おれは、恩師のお言葉にこだわり、いささか遠慮をしていたようだ。今度見えたなら、しっかりと聞いておこう。いや、それでなくてはならぬ）

おもっているうちに、年があらたまり、明和五年となった。その正月の或る日の夕暮れどきに、

「こちらは、秋山小兵衛先生の御宅でありましょうか？」

訪ねて来た若い侍がある。

「いかにも、さよう」

「私の父、山村源助が秋山先生に御世話をかけたと聞いております。私は倅の助太郎と申します」

「おお、これはこれは……さ、おあがりなされ」

このとき、小兵衛の息・秋山大治郎は十五歳になっていたが、妻のお貞は八年前に病没している。

この日、大治郎は父の使いで外出をしていた。

「助太郎殿。父上の身に、お変りはありませぬか？」

小兵衛が問うや、助太郎が、唇をかみしめ、

「死去いたしました」

と、いうではないか。

秋山小兵衛が愕然となって、

「そ、それは、いつ？」

「去年の秋に、死去いたしました」

「やはり、病気が？」

助太郎のこたえはなかった。

（おれとしたことが……油断だ。まさに油断、取り返しがつかぬことだ）

助太郎は、

「父の形見とおもわれ、この一刀を、お傍に置いていただきますれば、ありがたく存じます。父も、さぞよろこびましょう」

こういって小兵衛の前へ差し出したのが、いまも小兵衛の愛刀になっている濃州・兼元の大刀なのである。

「つかぬことを尋ねるが、お父上とあなたは、千駄ケ谷裏にお住いではなかったか？」

「せんだ、がや……」

「さよう。もしや御病気でもあることかとおもい、去年のうち、二度三度、あのあたりを探しまわったのでござるが、ついに、わかりませなんだ」

「それは申しわけのないことをいたしました。その住居については、亡き父が嘘を申しあげたのでございましょう」

「ふうむ……それで、いまは何処においでなさる？」

助太郎は、沈黙した。

こういうところは、父の平左衛門そのままである。

そして、早くも、

「それでは、これにて」

助太郎が、腰を浮かしかけた。

「お帰りか。では、御宅までお送りいたそう」

助太郎が、狼狽気味に立ちあがるのへ、

「井関助太郎殿」

小兵衛が呼びかけた。

助太郎は、顔面蒼白となった。

「父上の御本名は山村源助ではない。井関平左衛門と申されたはず」

「あっ……」

よろめくように坐って、

「そ、それを何故、御存知なので？」

「あなたは、辻平右衛門先生の御名を、耳にしたことがありますかな？」

するど助太郎は、面を伏せて、両手に袴の膝のあたりをつかみしめた。

「いかが?」

助太郎が、わずかにうなずいた。

「御存知なのだな?」

「……はい」

「父上の本名は、辻先生から、うけたまわった」

「……?」

助太郎は、意外の面持ちとなった。

「辻先生は私に、あなたの父上と末長く、つきあうように申された。そのことについて、あなたは何も聞いてはおられぬか?」

「……」

短かい沈黙の後に、突然、

「ごめん下され」

叫ぶや、助太郎は身をひるがえして外へ駆け去った。

そして間もなく、異変が起ったのである。

三

この時刻になると、秋山道場の門人たちは稽古を終え、すべて帰ってしまっている。

井関助太郎は秋山家の傍の竜谷寺の門前へ出た。

ここで道が二つに別れる。いずれも坂道だが、助太郎は鮫ケ橋の方向へ坂道を下って行きかけた……と、鮫ケ橋の方向から大兵の侍が一人、夕闇のたちこめた坂道をのぼって来るのが見えた。

それを見た助太郎がはっとなり、身を転じ、谷町の方へ行きかけると、今度は谷町の坂を、こちらへ下って来る侍が二人。

「あ……」

低く叫び、助太郎が立ち竦んだ。

坂の上下から合わせて三人の、いずれも頭巾をかぶった侍が近寄り、助太郎を取り囲んだのである。

助太郎は身をひるがえし、秋山道場・北側の空地へ飛び込んだが、三方が武家屋敷の塀に囲まれていて、逃げようがなかった。

「待て」

三人の侍も、つづいて空地へ駆け込んだ。

その中の大男の侍が、

「斬るなよ」

他の二人へいってから、助太郎へ、

「井関平左衛門の倅どの。いささか尋ねたい事がある」

助太郎はこたえず、大刀の鯉口を切った。

「同道してくれい」

大男が押しつけるように声をかけたとき、助太郎が大刀を抜きはらった。

「こやつ」

大男の侍が舌打ちをして、抜刀するや、つかつかと迫って来て、

「寄るな!!」

叫んで助太郎が振りまわす刃を、下から撥ねあげた。

助太郎の大刀が撥ね飛ばされるのと、秋山小兵衛が道へあらわれたのが、ほとんど同時であった。

「おい、これ。おのおのは何処の何者だ?」

その小兵衛の声に、三人は振り向いたが、細身で小柄な小兵衛を侮ったかして、

「邪魔をいたすな」

「退けい」

口ぐちにいうのへ、

「邪魔をしているのは、どっちだ?」

小兵衛は寸鉄も帯びていなかったけれども、するすると空地へ滑り込むように入って来て、

「曲者ども、去れ!!」

「何だと」

「泥棒!!」

何しろ大声なのだ。提灯を持って通りかかった近所の町人が立ちどまり、こちらを見ている。

「これ、泥棒」

「おのれ、申したな」

「何度でもいう。泥棒、人を呼ぶぞ。このあたりには御用聞きもいる。泥棒。おい、泥棒!!」

たまりかねた侍のひとりが、物もいわず、小兵衛めがけて抜き打った。

しかし殺意はなく、大刀の峯を返して打つつもりであったが、刀身が小兵衛へ届くより速く、ぱっと付け入った秋山小兵衛が侍の胸下の急所へ拳を突き入れた。

よろめくそやつには見向きもせず、つぎの侍へ小兵衛が飛びかかったとおもうと、

「あっ……」

どこをどうされたものか、こやつは毬を投げたように空地の一角へ転倒している。

人間わざとはおもえぬ小兵衛のはたらきに、大男の侍は、とてもかなわぬと見たのであろう。

「引けい」

声をかけて、当身をくらった侍をたすけ、他の一人と共に這う這うの態で、逃げ去った。

これを見送りながら、小兵衛が、

「助太郎どの。あの曲者どものうち、一人は捕えておいたほうがよいのではないか？　いまならば間に合う」

助太郎は強くかぶりを振った。

「逃してもよいのか？」

はっきりと、助太郎がうなずく。

「ま、ともかくも、今夜は私のところに泊って行きなさい。さ、中へ入りましょう」

「はい」

と、助太郎は素直に、小兵衛の後につづいた。

「弥七。ま、こういうわけなのじゃ。この夜は、わしと枕をならべて寝たが、助太郎は一晩中、まんじりともせず、寝返りばかり打っていたようじゃ」

と、小兵衛が、四谷の弥七に述懐した。

「では、そのことを若先生も御存知でございますね？」

「大治郎には何も告げていないが、助太郎が一夜、泊ったことは思い出すことだろうよ」

翌朝、秋山小兵衛が目ざめたとき、すでに井関助太郎の姿は消えていた。

「わしも気にかかってのう。なれど、探そうにも探しようがない。どうしようもなかったのじゃ」

「ところで……。

当時、十五歳の少年だった秋山大治郎が、単身、大原に隠棲中の辻平右衛門の許へ修行にのぼったのは、この年の初夏であった。一人息子を単身で遠い国へ旅立たせた小兵衛だが、大治郎も徒の少年ではなかった。

そして、大治郎が旅立って間もなくの或る日に、またしても突然、井関助太郎が訪ねて来た。

助太郎は秋山道場への入門を志願して来たのだ。小兵衛は入門をゆるした。

「助太郎は、おのれの腕が、いざというときに、何の役にも立たぬことを身にしみて知ったのであろうよ」

そこまで、秋山小兵衛が語ったとき、橋場の船宿〔鯉屋〕の船頭が、大川（隅田川）から庭の舟着き場へ小舟を乗り入れて来た。舟に乗っているのは、大治郎の妻三冬であった。

「父上。井関どのが……」

「助太郎が、どうかしたかえ？」

「急に、容態が悪くなりましてございます」

四

井関助太郎は、昨夜半から熱があがり、今朝になると、

「これは、いかぬ」

様子を見た秋山大治郎が小川宗哲宅へ駆けつけ、宗哲を駕籠に乗せ、引き返して来た。入れかわって三冬が、小兵衛に急を知らせたのである。

一同は、鯉屋の舟と、小兵衛の舟とに分乗して大治郎宅へ向った。

そのとき、四谷の弥七が徳次郎へ、

「お前は、このあたりに隠れ、見張ってみてくれ。妙なやつが、あらわれるかも知れねえ」

「あらわれたら、どうします？」

「お前にまかせる」

「合点だ」

大治郎宅の道場に寝ている井関助太郎は、高熱に魘され、意識不明となっていた。

時折、譫言をいうが、小川宗哲によると、

「何をいっているのか、さっぱり、わからぬ」

とのことだ。

「ただ、しきりに、みかわというのじゃが、小兵衛さん、何ぞ心当りがおありなさるか？」

「み、かわ……三河……？」

「人の名か、または、三河の国（愛知県）のことでもあろうか」

「そのほかには？」

「大治郎さんにも聞いてもらったが、やはり、わからぬそうな。譫言というよりも、むしろ唸り声に近い」

「容態は、いかがでしょうか?」

「ちょいと危い」

「え?」

「この人は傷を受けてから、かなり長い時間をすごしていたようじゃな。傷よりも心身の激しい疲労が、一度に出たのではないか」

「なるほど」

豊松は、大治郎夫婦の居間へ入り、静かにしている。

小太郎が、その傍に付ききりで、祖父の小兵衛から買ってもらった玩具などを洗いざらい持ち出して来て、しきりに何やら語りかけているのは、遊び相手をつとめているつもりなのであろう。

するとと豊松は、小太郎の言葉にいちいち、うなずきながら、黙って微笑をたたえている、そのありさまがいかにも大人びていて四つ五つの子供とはおもわれぬ。

しばらく経つと、立ちあがって道場へ行き、重態となった井関助太郎の傍へ坐り、凝と助太郎の顔を見まもっていたそうな。

今日の秋山道場は稽古をやすんでいる。助太郎がうごけぬかぎり、明日も明後日も、そうなることであろう。

小兵衛たちが道場へ来たころには、朝稽古の門人のほとんどが三冬の口から、このことを聞いて帰って行った後であった。

「大治郎。田沼様の御稽古日は?」

「明日ですが、これは何とでもなります」

「それにしても、人の手が足りぬ」

ためいきを吐いた秋山小兵衛が、小川宗哲に向って、

「宗哲先生も、この男に掛かりきりというわけにもまいりますまい。かと申して迂闊に人をたのむこともできぬわけゆえ……いかがでしょう、横山正元さんに来てもらっては?」

「おお、それはよい。それがよろしい」

横山正元は、牛込の早稲田町に住む町医者であるが、秋山父子と同じ無外流の剣術を遣う。

「酒も女も大好物」

と言ってはばからなかった正元も、四十をこえ、妻を迎えてからは、

「酒だけになりましてな」

つい先ごろ、小兵衛の隠宅へ立ち寄ったとき、そういっていたが、まだ子供は生まれていない。

「正元さんを迎えに行くなら、私が行きます」

と、おはるが買って出た。

「そうしてくれれば、大いに助かる。鯉屋から駕籠をたのめ」

「あい」

三冬が、おはるのために、簡単な昼餉の仕度をした。

「大治郎。あの子は手がかりになるようなことを、何もいわぬか？」

「いろいろに、三冬が問いかけたようですが、何分、子供のことで……」

「それにしても、あの子は井関助太郎の子ではないのだから、自分が住んでいた家のことなど、忘れるはずもあるまい」

「なれど……」

小川宗哲が、口をはさんだ。

「小兵衛さん。そうとも決められまい」

「はて？」

「共に暮していなくとも、我が子であるやも知れぬ」

「助太郎の？」

「さよう」

そういわれてみると、なるほど、豊松が助太郎の子ではないと言い切ることはできないし、大治郎も傍から、

「こころなしか、面だちも似ているように……」

などと、いい出したものだ。

だが、おはるを送り出して、もどって来た三冬に、

「三冬どのは、何とおもう？」

小兵衛が尋ねるや、三冬は、

「私は、井関どのの、お子とはおもいませぬ」

言下に、こたえた。

「だが、似ている」

と、大治郎。

「似てはおりますが、私の目には、どうしても父子に映りませぬ」

「あの子が、あのように、いかにも気づかわしげに此処(ここ)へ来て、助太郎殿の顔を見つめているありさまは徒事ではない」

「それは大治郎。そもそも、すべてが徒事ではないのじゃ」

空は、晴れわたっていた。

一枚だけ開けてある雨戸から、道場へ流れ入って来る微風が冷んやりとして心地(ここち)よい。

「妙に蒸すのう」

独言(ひとりごと)をいって立ちあがった秋山小兵衛が、さらに雨戸を二枚ほど開け、ふと、耳をかたむけて、

「や。松蝉(まつせみ)の声がしたような……」

つぶやいたのへ、小川宗哲が、

「小兵衛さん。松蝉には、ちょいと早いのではないかな」

「なるほど。そういわれれば……いや、ちかごろは少々惚(ぼ)けてまいりましてな。耳も目もあやしくなってきました」

「ときに、目眩のほうは?」

「あ、忘れていた」

五

秋山小兵衛たちが二つの舟に乗り、出て行った後、傘屋の徳次郎は一人残って、庭の舟着きの向うの木蔭へ腰をおろし、小兵衛宅を見張っていた。

何しろ、昨夜の今日であるから、曲者の一人や二人、そっと様子を窺いにあらわれるやも知れぬ。そこで四谷の弥七は徳次郎を残しておいたのだが、煙草を吸うわけにもいかず、徳次郎は、

(こんな見張りは、たまったものじゃあねえ。日が暮れるまで、此処に隠れていなくてはならねえのか……)

おもわず、ためいきが出た。

小兵衛たちが出て行ってから、そろそろ一刻(二時間)になるだろう。

(そうだ。ここにいては、居間の縁側しか見えねえ。ひとつ裏手の方へまわってみようか……)

腰をあげかけた徳次郎が、

(おや……?)

ぱっと、身を伏せた。

裏手から男がひとり、身を屈めるようにしてあらわれたのに気づいたからだ。

三十がらみの男は、町人の風体だが、裾を端折った恰好といい、すばしこそうな足の運びといい、徳次郎は、

（こいつ、堅気ではねえな）

と、看て取った。

男が少し、居間の縁側に近寄って行く。

見とがめられたら、たちまちに逃げるだけの身がまえをしていた。

男は、縁側へあがった。

男が、居間の障子へ顔をつけ、中の気配を窺っているようだったが、そのうちに手を伸ばし、そろりそろりと障子を開けはじめた。

そして、引き開けた障子の内へ顔を突き込んだ。

男の尻を木蔭から見て、徳次郎は、

（この野郎。いまなら、引っ捕えるのにわけもねえのだが……）

胸の内で、舌打ちをした。

中にはだれもいないことがわかったらしく、男は障子を閉め、庭へ下りた。色の白い、引きしまった顔だちだ。眉の濃いのが目立つ。

あたりを見まわしてから、男はうごきはじめた。堤の方へのぼっている小道へ出て、また

振り向き、くびをかしげたとおもったら、また庭へもどって来た。徳次郎は躰を伏せたまま、息をころした。

結局、男は徳次郎に気づかぬまま、堤の小道をのぼって行った。

傘屋の徳次郎が、得意の尾行を開始したのはいうまでもない。

(畜生め。急に腹が減ってきやがった)

堤の道へ出ると通行の人びともいたし、尾行にも、さして骨は折れなかったが、男が時折、立ち停まっては振り向くので油断はならなかった。

男は、水戸家・下屋敷(別邸)の前まで大川沿いの道を歩き、そこから源森川に沿って左へ曲がった。

そして、本所の小梅村まで来ると、大きな武家屋敷の裏門から中へ消えたのである。

それをたしかめてから、徳次郎は近くの真法寺という寺の門前にある茶店へ駆け込み、

「おい、爺つぁん。何か口へ入るものがあるかえ?」

「へえ、饅頭ならございますが、あまり旨くはありませんよ」

「まあ何でもいい。そのまずい饅頭をくれ」

茶店の老爺が、すぐに饅頭と茶を運んで来た。

「なるほど、まずいね」

「そうでございましょう」

「爺つぁん。それ、あそこの、こんもりと木が繁っている御屋敷は、何様の御屋敷だえ?」

「あれは御旗本の皆川石見守様の抱え屋敷でございますよ」

「ふうん」

「何でも、九千石の御大身だそうで」

「なるほど。旗本も九千石ともなれば大名なみだねえ」

「まったく」

九千石に千石を加え、一万石ともなれば、もはや旗本ではない。大名なのだ。奉公人にしてからが、女中は別にして、侍から小者に至るまで百名以上もいるし、生活の様式は、すべて大名と同様といってよい。

抱え屋敷は、大名の下屋敷と同じで、主人の皆川石見守が、この屋敷へあらわれることはめったにないといってよい。

「なるほど。この饅頭はまずい。どうにもたまらねえまずさだ」

まずい、まずいといいながら、徳次郎は饅頭を六個も腹へおさめ、茶を何杯ものみ、ついでに茶店の厠を借りて小用をすませた。

厠は、茶店の裏手にある。

用を足して手を洗っていると、田圃の向うに、皆川石見守・抱え屋敷の裏門が見え、あの男が出て来た。

徳次郎は、老爺に心づけをはずみ、

「爺つぁん。まずい饅頭をありがとうよ」

「でも、あの饅頭を六つもあがりなすったのは、あなたがはじめてでございますよ」

「へへっ」

「ありがとう存じます。あなたは、まことに御奇特なお客さまでございます」

「何とでもいいな」

徳次郎は、横川辺りの道へあらわれた男の後を尾けることにした。

(こいつは、おもいがけねえことになった。あの旗本屋敷と、これから、あの野郎が行く先を突きとめれば、探りの糸もほぐれてくるにちげえねえ)

男は、またしても大川端の道へ出て、大川橋(吾妻橋)を西へ渡った。

すでに、昼をまわっていたろう。

快晴の午後で、行き交う人びとで橋上は雑踏している。

中天から矢のごとく疾って来た燕が一羽、傘屋の徳次郎の顔を掠めて飛び去った。

大川橋を渡った男は、橋のたもとにある〔福本〕という船宿へ入って行った。

徳次郎は、大川橋へもどり、

(今日はこれまでだ。このことを早くお知らせ申し、大先生の御指図を受けたほうがいい)

おもいながら福本の舟着き場を見るともなしに見ていると、男が舟着きへ出て来て、舫ってあった猪牙船へ、ひょいと飛び乗ったではないか。

乗って、竿を手に舟を大川へ出すと、艣を漕ぎ、たちまちに大川を下って行く。

(あの野郎、船頭だ)

と、徳次郎は直感した。

数えきれぬほど、大小の船が行き交う大川の川面(かわも)を、男はあざやかに艪をさばいて遠ざかって行く。

これを尾行するのは、とても間に合わないし、いまの徳次郎は舟に乗っていない。

(よし、それなら……)

一つの思案が、傘徳の脳裡(のうり)にひらめいた。

徳次郎は、船宿の福本へ行き、

「急に、すまないが、橋場まで舟を出して下さい」

たのむと、女主人らしいのが、

「ようござんす」

すぐに、船頭をよんでくれた。

舟へ乗ってから徳次郎は、先に心づけを船頭へわたし、

「いま、ここから舟を出した船頭さんは、ここの人じゃあないのかえ?」

さりげなく尋ねてみると、

「あの人は、深川の熊井(くまい)町にある玉屋さんという船宿の船頭さんですよ」

というこたえが返ってきた。

六

徳次郎の報告を受けた秋山小兵衛は、見る見る喜色をあらわし、

「徳次郎、でかした。よく、やってくれた」

傘徳が照れくさくなるほどに、ほめちぎってから、大治郎をよび、

「武鑑はあるかえ？」

「はい」

武鑑は、諸大名や旗本の人名録というべきものだ。知行高、紋所、家系などをしるした書物で、大小さまざまな種類が毎年、日本橋の〔須原屋〕という書林から発行される。

大治郎が所持していたのは、簡略な小型のものであったが、皆川石見守正凱の名は、すぐに見つかった。

石見守の本国（領地）は大和（奈良県）の内にあり、本邸は牛込の神楽坂上となっている。

井関助太郎は、屏風に囲まれた寝床に横たわり、依然として高熱に魘されている。

小兵衛は、道場の片隅へ四谷の弥七をまねき、

「どうじゃ、皆川石見守について何とおもう？」

「探ってみましょう」

「あまりくびを突っ込まずともよいぞ。わかっているな」

「はい、大丈夫でございます」

「それと……」

「福本という船宿でございますね？」

「うむ」

「では、徳次郎を連れて、行ってまいります」

「たのむ。すまぬなあ、いつも……」

「なあに、いまは別に、何の事件もございませんので」

徳次郎を連れ、出て行きかける弥七へ、小兵衛が、

「これは取りあえずの費用じゃ」

金十両をわたした。

「大先生……」

「うむ？」

「あの、井関助太郎さんのことを、何と思っておいでなので？」

「助太郎のことよりも、わしは、亡父の平左衛門のことが気にかかるのじゃ。辻平右衛門先生は、わしに、末長くつきあってやってくれといわれた。それゆえ……」

「よくわかりましてございます」

「辻先生が生きておわしたならば、わしと同じようにしたであろう。あの先生が特別に、あのようなことをいわれたのは徒事ではないと、わしはおもう」

「はい」

弥七と徳次郎が出て行くと、小川宗哲が小兵衛の傍へ来て、

「少しは快いほうへ向っているようじゃ。今夜あたり、正気にもどるやも知れぬ」

「それは、まことで？」

「なれど油断はならぬ。ときに、小兵衛さん。わしは、ちょいと浅草の患家へまわって来たいとおもうが、よいかな？」

「あ、気がつきませぬでした。では倅を御供に……」

「仰々しい。わし一人で充分じゃよ」

宗哲が出て行った途端に、小兵衛は何を思いついたものか、

「大治郎、大治郎」

呼ぶ声が、あわただしかった。

「父上。何か？」

「いま、ふと思いついた。助太郎が譫言で、みかわというたそうな」

「はい」

「それは、もしやして、みなかわというたのではあるまいか」

「では、皆川石見守……」

「そうじゃ」

「なるほど」

「な……？」

「はい」

三冬は、台所で夕餉（ゆうげ）の仕度にかかっているらしい。

このとき、横山正元と共に、おはるがもどって来た。

おはるは、二人が乗って来た駕籠（かご）を、先（ま）ず船宿の鯉屋（こいや）へ着けさせ、駕籠を帰した後で、ゆっくりと大治郎宅へ向った。こうしたところは、老夫・小兵衛の仕方をいつの間にかおぼえ、神経をつかうようになったのであろう。

「おお、正元さん。よく来てくれた」

「およそのことは御新造（ごしんぞ）さまから、うけたまわりました。どれ、早速、診せていただきましょう」

横山正元は、しずかに助太郎へ近寄り、脈をとってみてから、躰の諸方を触診した。

「どうじゃな？」

「まだ、よくわかりませんが、まさかに、このまま息を引きとるようなことはないと存じます」

「そうか……のう、おはる」

「あい」

「助太郎が正気にもどったら、お前の実家（さと）へ移したいとおもうが、どうだ？」

「あ、それがいいですよう。関屋村（せきやむら）のほうが、此処（ここ）より安心だとおもいます」

「道場の稽古を、いつまでも休むわけにはまいらぬ。却って怪しまれようし、噂もたつ。そうではないか、大治郎」

「さよう……」

大治郎は腕を組み、沈思した。

おはるが三冬の手つだいをしようとおもい、台所へ行きかけて屏風の上から助太郎を見た。

すると、助太郎が眼を開き、何かいいかけた。

「先生よう。助太郎さんが……」

「何……」

小兵衛が近寄って行くと、枕頭の横山正元が、小兵衛にうなずいて見せる。

小兵衛は尚も近寄り、

「これ、助太郎。気分はどうじゃ？」

「か、かたじけなく……」

居間のほうで、小太郎の笑い声がした。豊松と共に外へ出ることを禁じられているのだが、この二人の子供は妙に気が合ったらしく、飽きもせずに玩具で遊んだり、菓子を食べたりしていた。

豊松は、ほとんど口をきかぬ。小太郎のほうが一所懸命に遊ばせてやっているかたちなのだが、その小太郎を、豊松は澄んだ眼で凝と見ているかとおもうと、わずかに口元へ微笑がただよう。しばらくすると道場へ行き、井関助太郎の枕頭に坐り込み、いかにも心配そうに高熱に喘ぐ助太郎を見まもっているのだ。

夕闇が濃くなってきた。

秋山小兵衛は陶製の吸いのみで助太郎の口を濡らしてやり、

「助太郎。わしの言葉が聞きとれるか？」

「は、はい」

「よいか、わしはな、亡き辻平右衛門先生より、お前の亡父の本名を打ちあけられ、その折に、井関平左衛門と末長く交誼するよう、しかと申しわたされたのじゃ」

「…………」

「いまとなっては、お前の父もこの世の人ではない。なれど、いま、こうしてお前の危急を見ていると、わしは辻先生の、あのときの御言葉が、しきりにおもい返されてならぬのじゃ」

「は……」

「ただ一つでよい。聞かせてくれ。わしは知りたい。お前の父と辻先生とは、いかなる関わり合いがあったのじゃ？」

井関助太郎が、小兵衛を見あげたとき、横山正元と大治郎は、気をきかせて居間の方へ去った。

「あ、秋山先生……」

「うむ」

小兵衛は助太郎の右手をにぎり、ゆっくりと摩りつつ、

「さ、だれもいない。いってくれ、助太郎」

「は……」

助太郎が大きく息を吸い込み、

「私の、生みの母は、名を八重と申しました」

「ふむ、ふむ」

「母は、辻平右衛門先生の妹でございます」

「えっ」

おどろいた小兵衛へ、助太郎がわずかに声をふるわせて、

「腹ちがいの妹にて……」

いいさしたとき、助太郎の両眼から泪がふきこぼれてきた。

「では……お前は、辻先生の甥御ということになる。そうだな？」

「はい」

小兵衛は言葉を失なった。

ただ凝然と、井関助太郎の顔を見つめているのみであったが、助太郎は目を閉じて、もう何も語ろうとしない。

助太郎が、恩師・辻平右衛門の血を引いた甥であることと、幼い豊松と共に刺客の刃を逃れていることとが、小兵衛の脳裡で一つに結びつかなかった。

(それに、十六年前のあのとき、わしの道場の前の空地で助太郎を取り囲んだ侍たちは、いったい何者であったのだろう?)

これも、よくわからぬ。

その後、助太郎が入門して来たので、折にふれて尋ねてみたけれども、助太郎はそうなると一言も口に出さなくなってしまうし、その顔にありありと迷惑そうな表情が浮かぶので、

小兵衛は、

(先ず一年も、おれの手許にいれば、しだいに心をゆるすようになり、ぼつぼつと語ってくれるだろう)

そうおもっていたのだが、助太郎は半年そこそこのうちに、忽然と秋山道場から姿を消してしまった。

「仔細あって、急に御当家にいられなくなりました。勝手きわまる私めを、何とぞおゆるし下さいますよう」

まことに簡短な置手紙を残して、井関助太郎は消えた。

小兵衛は、入門した助太郎の躰を、

(先ず人並にしてから……)

と、考え、振棒とよばれる長さ四尺余の太い樫の棒をわたし、

「よいか、助太郎。腰を据え、姿勢を正して、この棒を振って振って振りぬくのだ」

「はい」

振棒にはびっしりと鉄条が埋め込まれているから、相当な重量がある。

しかし助太郎は、たゆむことなく、庭へ出て振棒を振りつづけた。非常に熱心であった。

「それ、腰がくずれている」

「もっと大きく振れ!!」

道場の窓から見ている小兵衛が叱声を飛ばすと、いちいちかたちをあらためて一礼し、また棒を振りはじめるといったぐあいで、その真摯な態度に小兵衛は好感を抱いたものだ。

(剣の筋はよくないらしいが、この調子なら見込みもないではない。ゆっくりと物にしてやろう)

夏になると、若いのに肥えていた助太郎の体軀が引きしまってきた。

(秋になったら道場へ入れ、稽古をつけてやろう)

そうおもっているうちに、助太郎は消え去ったのである。

「あ……う、うう……」

また、助太郎が熱に魘されはじめたので、小兵衛は我に返った。

横山正元があらわれて、脈を取っていたが、

「この人は、肝ノ臓が弱いようですな」

と、いった。

誘拐

仄暗い寝間で、秋山小兵衛は寝床へ横たわっている。

その小兵衛の肩から腰を揉みほぐしているのは井関助太郎であった。

助太郎は、もう半刻(一時間)も小兵衛の躰を揉みつづけて倦まぬ。

「助太郎。もう、そのくらいにしておけ」

「いや、大丈夫です」

「おれは、眠ってしまうぞ」

「お眠り下さい。亡き父もそうでした」

「そうか」

「父の躰が悪くなってから、私は按摩の術をおぼえたのです。はい、近所の按摩に教えてもらいました」

「道理で、うまい」

「………」

「だが、おれは、まだ按摩をしてもらう年齢ではあるまい。さ、やめて眠れ」

「もう少し……もう少し、させて下さい。先生を按摩していると、父の躰にさわっているような気がいたしまして」

「そうか。なれば揉むがよい」

「ありがとう存じます」

「このように毎夜、半刻も一刻（二時間）もかけて按摩をしてもらうのは、もったいないような気がする。だが気持ちのよいものだなあ」

「そういっていただくと、うれしゅうございます」

「井関平左衛門殿も、このようにして毎夜、お前に按摩をしてもらっていたのか」

「…………」

「これ、どうした？」

「…………」

「泣いているのか？」

「いえ……」

揉まれている小兵衛の片頬へ、助太郎の泪が一滴、落ちてきたのである。

十六年前の、小兵衛と助太郎の姿であった。

「泣くのは、よせ」

「は……」

「泣くよりも、胸にたまったものを言葉にして、吐き出してしまったらどうだ？」

「……………」

「吐き出せぬのか?」

「………………」

「ばかめ!!」

小兵衛が一喝したとき、夢は覚めた。

寝間の中に、雨音がこもっている。

半身を起した小兵衛は、枕元の水差の水を茶わんに汲み、一息にのみほした。

一

その日。

横山正元は、本所・亀沢町の小川宗哲宅へ行き、井関助太郎のために薬をととのえた。

いま、助太郎と豊松は関屋村のおはるの実家へ身を移している。

一昨日の朝まだき、小兵衛に大治郎夫婦、横山正元、傘屋の徳次郎が手を分けて警護にあたり、おはるが舟で、二度にわたり、助太郎と豊松を移転せしめた。

橋場から舟を出し、大川(隅田川)をわたって綾瀬川へ入り、関屋村へ運んだのだ。

そのまま、正元は助太郎につきそい、小兵衛とおはるは鐘ケ淵の隠宅へもどったのである。

小川宗哲宅を出た正元は、ついでに、傘屋の徳次郎の報告で知った皆川石見守の抱え屋敷

を、

（見ておこうか）

と、思い立った。

この日は三月二十日（現代の五月十日）で、秋山小兵衛が井関助太郎の危急を救ってから五日が過ぎていた。

なまあたたかく、どんよりと曇った日で、横山正元が横川沿いの道を法恩寺のあたりまで来たとき、すでに九ツ（正午）をまわっていたろう。

間もなく、右手に徳次郎から聞いた茶店が見えてきた。

正元は、田圃道を茶店の裏側へまわってみた。

（ふむ。あれが皆川石見守の抱え屋敷か……）

たしかめておいて、また、元の道へもどった正元が、

（や……？）

咄嗟に身を引き、かぶっていた塗笠を前へかたむけて顔を隠したのは、おもいがけぬ人の顔を見たからだ。

その中年男は、いましも皆川屋敷の表門前で町駕籠から降りたところであった。

男の名は服部宗全といい、以前は正元と同じ町医者だったが、いまは何をしているか知らぬ。

服部宗全は駕籠を帰してから、それとなく、あたりに目を配った。

背丈の高い、頬骨の張った宗全は渋い色の黄八丈に茶の羽織という姿で短刀をたばさんでいる。頭は総髪をきれいに梳いて垂らし、なかなか立派な身なりをしていた。

この身なりならば医者で通るが、宗全という男は、医者として三流の腕しかないはずだ。

初夏の日中のことだし、道には人通りが絶えているわけではない。

横山正元は、自然な様子で木蔭へ身を寄せた。

妙に気味悪く光る眼で、あたりを見まわしていた服部宗全が歩みはじめた。

皆川屋敷の塀に沿って、宗全は小道を左へ曲がった。

(はて?)

横山正元は息をのんだ。緊張せざるを得ない。

「ちょっと厠を貸してもらいたい」

茶店へ飛び込んだ正元が裏へ出て見ると、いましも服部宗全が皆川屋敷の裏門の中へ消えて行ったではないか。

先日、傘屋の徳次郎が尾行し、皆川屋敷へ消えた船頭といい、今日の服部宗全といい、いよいよ、この屋敷が、

(怪しい……)

と、正元は看た。

あれから、徳次郎は大川橋（吾妻橋）・西詰の船宿〔福本〕へ探りをかけ、怪しい船頭がいる深川・熊井町の船宿〔玉屋〕を突きとめ、船頭の名が長吉であることもわかったが、それ

以上の探りは、まだ、すすんでいない。

長吉は玉屋の船頭の中でも人気がよく、贔屓の客が絶えないそうな。

「大川橋の福本のほうは、別に怪しいところは見えません。深川の玉屋を、もっと探ってみたいと存じます」

傘屋の徳次郎は秋山小兵衛にそういったが、

「まあ、ともかくも井関助太郎が癒ってからのことにしよう」

小兵衛は、さして急ぐ様子もなく、

「どこから手をつけてよいか、これは、じっくりと思案せねばなるまい」

と、いった。

井関助太郎の容態は関屋村へ移ってからも変りがない。相変らず高熱がつづいているし、時折、小兵衛が少しずつ問いかけてみても、そうなると例によって、助太郎は頑として口を開かなくなってしまう。

「はてさて、強情もここまで来れば立派なものじゃ」

助太郎は、秋山小兵衛を信頼することができないのであろうか。

（そこが、わからぬ）

このことである。

小兵衛にもいえぬ秘密とは何か？

子供の豊松へ、こころみに問いかけてみると、これもまた助太郎同様に口を噤み、

「お前さんの家はどこにあるのだえ？」

とか、両親の有無を尋ねたりすると、豊松は微かにかぶりを振るのみなのだ。

（さて、どうしたものか？）

茶店で茶をのみながら、横山正元は思案にふけった。

そして、心が決まると、腰の矢立の筆を引き出し、懐紙へ、手紙を書きはじめた。

いまごろは隠宅にいるはずの秋山小兵衛にあてての手紙であった。

関屋村には秋山大治郎が詰めてい、明朝、父子が交替することになっている。

横山正元は、ついに服部宗全を尾行し、その居所を突きとめることにした。

町医者の端くれでありながら、不徳・無頼の服部宗全であることを正元は知っている。

その宗全が皆川屋敷へ密かに消えたとなれば、捨ててはおけなかった。

正元は心づけをたっぷりとはずみ、茶店の老爺へ手紙をわたし、小兵衛の隠宅へ行ってもらった。茶店には小女も老婆もいる。

それから間もなく、服部宗全が皆川屋敷からあらわれ、法恩寺の方へ歩み去った。正元の尾行が開始された。

二

宗全は、法恩寺・門前で客を待っていた町駕籠へ乗った。

「はい。宗全が駕籠に乗りましたので、後を尾けやすくなりました」

日が落ちて間もなく、鐘ケ淵の隠宅へ町駕籠に乗ってあらわれた横山正元が、秋山小兵衛に告げた。

おはるは、正元の手紙を読んだ小兵衛に、

「この手紙を、大治郎へ見せてやれ。心配をしているといけない」

そういわれ、関屋村へ駆けつけて行ったが、まだ、もどって来ていなかった。

「それで、服部宗全とやらの居所は?」

「下谷の山伏町に長円寺という寺がありましてな、そこの裏手の……私は、寺のもちものとおもいますが、小さな家が一つありまして、其処へ入りました」

「ふうむ」

「もう少し、くわしく探ってみようかとおもいましたが、こうしたことは、なまじ私が手を出してはいけないとおもい直しまして」

「いや、正元さん。それで充分じゃ。よくやってくれた」

「私は、これより関屋村へまいります」

「すまぬな。わしは明日の朝まで此処にいる。四谷の弥七が来ることになっているのでな」

「では……」

「あ、ちょっと……その服部宗全とは、どのような男なのじゃ?」

「そうでした。それを申しあげぬことには……」

坐り直した横山正元へ、小兵衛は冷酒を茶わんに汲んで出し、

「さ、おのみなさい」

「これは、どうも」

正元は一息に、のみほした。

「もう一つ」

「おそれいります」

正元は服部宗全と、さほど親しいわけではないが、宗全と共に医術をまなんだ友人から、宗全の人柄を耳にしていたし、

「牛込・原町の水野家・下屋敷（別邸）の中間部屋で三年ほど前に、何度か顔を合わせたことがあります」

大名の下屋敷の中間部屋が、夜になると博奕場になることは、当今めずらしくない。してみると以前の正元は、女ばかりか博奕もやったらしい。

服部宗全も博奕場では同じ町医者の正元に、いくらかは心をゆるし、名乗りもしたし、さまざまな悪事にさそったという。

「医者というものは、やろうとおもえば、いくらでも悪事がやれるものでして」

「なるほど」

宗全は、何やら怪しげな薬を売って金を儲けたり、堕胎などは、

「数えきれぬほどやりましたよ。しくじって、ずいぶん死なせたっけ」

平然と、正元に洩らしたりした。

博奕をしたり、女遊びをしたりする横山正元へ、宗全は、こういったそうだ。

「正元先生。あなたは私と同じにおいがする」

だが、そのうちに件の博奕場へ集まる無頼どもが大喧嘩をはじめたとき、横山正元が割って入り、刃物を振りまわすやつどもを五、六人、あっという間に素手で打ち倒したのを見てからは、服部宗全がぷっつりと博奕場へあらわれなくなったという。

「用心深い男らしいな」

「さようです。そのころの宗全は、山伏町に住んではいなかったようです」

「では、どこに?」

「さ、それがわかりませぬ。居所を洩らすような男ではありません」

かつて、幕府の御番医・湯川九淵の医生として、宗全と同門だった正元の友人は、

「あの宗全というやつは、湯川先生の許で修業していたころも、高貴薬を盗み出したり、女で揉めごとを起したりして、湯川先生もたまりかねて破門したのだ」

と、語ったそうである。

「なるほど。そういうやつが、皆川石見守の抱え屋敷へ入って行った……」

「面妖な事と、おもわれませぬか?」

「そうおもう」

横山正元が急いで関屋村へ向った後も、秋山小兵衛は冷酒を舐めつつ思案にふけった。

外は、夜の闇であった。

庭の池のあたりで、蛙が鳴いている。

「ごめん下さいまし」

声をかけて、提灯を手に四谷の弥七が縁側の向うの庭先へあらわれた。

弥七は、三日前に自分の縄張り内で起った殺人事件を探っていて、忙しいらしい。

そこで、配下の傘徳をつけてよこしたのである。

「弥七。徳次郎が、よくはたらいてくれているから安心しておくれ。お前は忙しいのだろう。こちらのほうより、お上の御用が大事じゃ」

「ありがとう存じます。いえ、今日は、ちょっと小耳にはさんだことがございまして」

「そうか。ま、あがってくれ。おはるがいないので何もないが、うまい酒がある」

「はい、はい」

居間へあがって来た弥七が、茶わん酒をのみながら、

「あの、皆川石見守様のことでございますがね」

「うむ、うむ」

「町奉行所の旦那方のはなしによりますと、何でも以前は、将軍さまの御側近く仕えて、大層な羽振りだったそうで」

「ほう」

「家柄もよいとのことでございますが、いまは、四十をこえたばかりなのに、御病気で引き

こもっているとか」

その弥七の言葉を聞いた瞬間、小兵衛の脳裡に石見守の病気と町医者・服部宗全が一つになってむすびついた。

「石見守は、まさか本所の抱え屋敷に引きこもっているのではあるまいな？」

「いえ、御本邸に臥っておいでになると聞きました」

「そうか。実はな、弥七」

と、小兵衛が横山正元の報告をつたえるや、弥七の顔色が見る見るうちに変ってきて、

「大先生。こいつは、におい
ますでございますね」

「お前も、そうおもうかえ？」

「おもいます」

「弥七。忙しいのにすまぬが、いま少し、探ってみてくれぬか」

「そのつもりでおりますでございます」

「いつも、厄介ばかりかけてすまぬのう」

「とんでもないことでございます」

「四谷の人殺しのほうは、どうなのだ？」

「もう少しで方がつきます。方がついたら、すぐにこちらのほうへ駆けつけますが、それまでは徳のやつを存分に、おつかいなすって下さいまし」

弥七も、自分が世話になった亡き山村源助……いや、井関平左衛門の一人息子・助太郎の

危難ともなれば捨てておけぬという気持ちなのであろう。

「もう少し……もう少しで、その人殺し野郎を捕まえますから」

何度も繰り返して、四谷の弥七は帰って行った。

その後で、小兵衛は二通の短かい手紙を書き、身仕度をして隠宅を出た。いつものことで戸締りもろくにせぬままであった。

隠宅の内の大切な品々は、刀簞笥と共に、関屋村のおはるの実家へ移してあるから何の心配もなかった。

秋山小兵衛は木母寺境内にある知り合いの茶店へ立ち寄り、

「明日の朝になってからでよいから届けてくれ。たのむ」

二通の手紙を托してから、おはるの実家へ向った。

この茶店へは、かねてから充分に手当をあたえてあるから、諸方への使い走りをこころよく引き受けてくれ、まことに便利だ。

木母寺から、おはるの実家までは、きわめて近い。

通い慣れた道だし、小兵衛は提灯も手にしていない。星あかりだけで充分であった。

綾瀬川沿いの小道へ出たとき、小兵衛は急に屈み込み、振り返った。

彼方に、ぽつんと提灯のあかりが見える。

このあかりが、少しずつ近寄って来るのだ。

あきらかに、隠宅を出た小兵衛の後を尾けてきたことがわかった。

小兵衛は、屈み込んだまま、うごかなかった。

足音もせずに、提灯のあかりが近づいて来る。

つまり何者かが、絶えず、小兵衛の隠宅を見張っていたものとみえる。

小兵衛が手さぐりに、道端の小石を拾った。

その小石は、夜の闇を切って飛び、尾行の者の提灯に命中した。

提灯のあかりが消え、一瞬の間を置いて曲者(くせもの)が駆けて逃げる足音が起った。

立ちあがった秋山小兵衛が、つぶやいた。

「捕えてみても、仕方がないやつらしい」

三

「いやどうも、おどろいたのなんの……石ころを投げつけられて、提灯の火が消えたときにゃあ、寒中に水をぶっかけられたような気がしましたぜ」

こういって、その男は、たてつづけに酒を呷(あお)った。

場所は下谷の通新町(とおりしんまち)の、泥鰌(どじょう)なべを売り物にしている〔川半(かわはん)〕という店で、男の相手は、かの船宿・玉屋の船頭・長吉だ。

「そうか。あのじじいめ、お前の見張りに気がついていやがったか……」

「恐ろしいじじいですよ、長吉つぁん」

「まさか、顔を見られてはいまいな?」

「そいつは大丈夫だ。こっちは庭の植込みの中へ這いつくばっていたのですからね」

「よし。まあ、いい。これからも留。見張りはつづけてくれよ、いいか」

「いえ、どうも、こいつは気がすすまねえなあ」

留とよばれた男の顔は、まだ蒼ざめていた。

「まあ、そう長くはねえことだ。おれも手つだうから、お前もたのむ」

「ねえ、兄貴。こいつは、いったい、どういう事なので?」

「お前の知ったことではねえ」

こういって長吉は、ふところに用意しておいた金包みを留へわたし、

「それにしても、あのじじいめ、提灯も持たずに何処へ行きゃあがったか?」

「そう遠くはねえところだとおもいますぜ。だって、日中の道を歩くような足取りで、さっさと行ってしまうのですからね。あ、そうだ」

「どうした?」

「じじいはね、はじめに木母寺の境内にある茶店へ入って行き、何だか手紙のようなものをわたしていましたがね」

長吉は、しばらく考えていたが、

「留。今日のところはこれでいい。明日から、また、たのむ」

「また、見張りですかえ?」

「留。おれのいうことがきけねえのか?」

押しころした長吉の声は、何やら不気味であった。

「いえ、そんな……」

「何も、お前に血なまぐさいことをしろといっているのじゃねえ。見張りをすることぐらい、できねえはずはねえ」

「へい」

「行け」

「では、ごめんなすって」

留が帰ったあと、間もなく、勘定をはらった長吉が手の提灯に火を入れてもらい、外へ出た。

夜だというのに、店の前の通りには行き交う人びとの提灯が、いくつも揺れうごいているし、荷馬や駕籠(かご)も行ったり来たりしていた。

ここからは千住(せんじゅ)大橋が近い。

千住からは、奥州(おうしゅう)・日光・水戸街道をむすんでいるので、上野の山下から千住へ通じる、この往還には夜半でも人通りが絶えず、飲食の店の中には川半のように夜通しの商売をしているところが少なくない。

船頭の長吉は通りを突っ切り、真正寺という寺の横道を西へ入って行った。

真正寺の裏へ出ると、あたりは一面の田園風景となる。

木立の中の道を少し行き、長吉は、大岡信濃守(おおおかしなののかみ)(下野(しもつけ)・黒羽一万八千石)の下屋敷の潜門(くぐりもん)から中へ消えた。

すでにのべたように、この大名の下屋敷の中間部屋も、夜になると博奕場となる。

むろんのことに、天下の大名の別邸に博奕場がゆるされているわけではない。

見て見ぬふりをしているのだ。

いまの中間の大半は渡り者で、喧嘩も博奕も好むところだから、文句をいえば、

「勝手にしやがれ」

さっさと、出て行ってしまう。

そうなると、困るのは大名のほうであった。

大名の公務、生活にとって、下ばたらきをする中間は、

「欠かせぬもの……」

なのである。

殿さまは下屋敷にいないけれども、留守居の家来たちはいる。いるが、下屋敷をつかうことはめったにないから、その数も少ない。こうした家来たちへ、中間のほうから金品の〔つけとどけ〕をするから、家来たちも目をつぶっているのだ。

槍一筋(やりひとすじ)に生きて来た武士の世界も、いまは、このように変ってきた。

大岡下屋敷の中間部屋は、博奕の熱気と酒のにおいが充満していた。

「おう、長さん。あそびに来なすったか」

奥のほうから声を投げ、長吉へ近寄って来たのは、中間頭の駒蔵であった。

でっぷりと肥った駒蔵の顔は、酒光りがしている。

「ちょっと……」

と、長吉は物陰へ駒蔵をいざなって、

「どうしたのだ、駒蔵さん。お前さんにたのんだ人は、まだ顔を見せねえよ」

「え。……そんなはずはねえが……」

「だが来ないのだ。しっかり連絡はつけてくれたのだろうね？」

「いうまでもない」

駒蔵は指を折ってみて、

「お前さんにたのまれてから五日になるな」

「そうだよ」

「おかしいな。お前さんから聞いた礼金のこともつたえてあるし、三十両ならば、きっと引き受けると、おれはおもっていたのだがね」

「おれが先方へ行ってはまずいのかえ？」

「そりゃあいけねえ。そいつは堅く止められているし、おれにしても、浅井先生が住んでいるところを知っているわけじゃあねえのだ。つなぎの場所へ声をかけるだけなのだよ、長さん」

「そうか……」

「急ぐのか？」

「急ぐ。早いところ、始末をしてもらわねえと困ったことになるのだ」

「殺る相手は、そんなに強いのか？」

「いま、十人ほどあつめたが、それだけでは心もとない気がするのだ。それよりも駒蔵さん。浅井何とやらいう先生は、たよりになるのだろうね」

「浅井源十郎という人はね、長さん。あっという間に、腕利きの浪人を五人も斬ったほどの手練者だ。おれは、その場で見ていたのだ」

「ふうむ……」

駒蔵は、土間で酒を売っている男から、茶わん酒を二つ出させ、

「長さん。ま、ひとつやりねえ」

「うむ」

「よし。明日、おれがつなぎの場所へ行き、様子を聞いて……」

駒蔵がいいさしたとき、中間部屋の板戸が開いて、浪人がひとり、中へ入って来た。頭は剣客ふうの総髪で、袴をつけている浪人の身なりは、よくよく見ると贅沢なものだ。

「あっ、浅井先生」

よびかけて走り寄った駒蔵へ、

「うむ」

うなずいた浪人が、長吉を見た。

針のように細く光る眼が、自分の胸へ突き刺さるようなおもいがして、長吉の肌身が硬直した。

「つなぎがあったそうだな」

「ええ、五日も前に……」

「半月ほど、小田原へ行っていた」

「道理で」

「先程、江戸へ帰ったばかりだ」

「さようでござんしたか」

駒蔵が、浅井源十郎という浪人の耳へ口を寄せ、ひそひそと語る間も、浅井の眼は長吉にそそがれている。

長吉は蒼ざめて立ち竦みつつ、

(こいつは凄い。血の匂いが頭のてっぺんから爪先まで、こびりついているような……これなら、この人なら、あの白髪頭のじじいも敵うまい)

そうおもった。

四

翌日。秋山大治郎は田沼屋敷の稽古に行き、小兵衛とおはるが関屋村に詰めた。

おはるの実家には、大きな納屋がある。小兵衛は、この納屋へ井関助太郎と豊松を匿うことにしたのだった。

去年、おはるの父親が病気になったとき、納屋に手を入れ、療養をしていたこともあり、内部は小ぎれいになっているし、土間の片隅には小さな竈も設けてあった。

午後になり、二人の男女が前後して、関屋村へ小兵衛を訪ねて来た。

二人とも、昨夜、小兵衛が木母寺の茶店へたのみ、届けさせた手紙を読んで駆けつけて来たのだ。

一人は、いまも深川・島田町の長屋に老母と暮している鰻の辻売りの又六である。

一人は、女ながら品川・台町にささやかな道場をかまえている杉原秀であった。

今年で三十一歳になる又六は、まだ独身だ。いまは鰻の辻売りよりも、深川の漁師から直に仕入れた魚や貝類を得意先へ売って歩くほうが忙しくなっているようだが、

（もう、そろそろ、身をかためさせて、小さな店を持たせてやろう）

秋山小兵衛は、ひそかに、そうおもっている。

杉原秀は三十歳になった。根岸流の手裏剣の名手でもある秀は、小さな道場で一刀流の剣術を近辺の若者たち（主として農家の子弟）に教えている。

（このほうも、何とかしてやらねばならぬ）

思案をした小兵衛は、一時、横山正元と秀を夫婦にしたらよかろうとおもったこともあるが、縁がないままに、正元は故内山文太（小兵衛の剣友）の孫にあたる直と夫婦になってし

まった。

横山正元は、この日の朝早く、

「ちょっと帰って、こちらにいることを女房に知らせかたがた、薬を取ってまいります」

牛込・早稲田町の自宅へもどって行ったのである。

杉原秀と又六がそろったところで、秋山小兵衛は二人を納屋の外へ連れ出し、おはるが敷きのべた茣蓙の上へ坐らせ、

「二人とも、どうじゃ。三日ほど、わしの手つだいをしてくれるか?」

「はい。先生の御手紙を拝見し、そのつもりで仕度をしてまいりました」

秀がそういうと、又六も、

「先生。十日でも一月でも、おれはかまいません」

おはるが〔お供え餅〕などと評した、又六のまるい躰も近ごろは何となく引きしまってきたようだ。張り出した額の下に剝き出された彼の両眼は以前と少しも変らぬ純な光りをたたえている。例によって盲縞の筒袖、素足にわら草履という風体も変らぬ。

一方、杉原秀も、以前のように髪を無造作にたばね、洗いざらしの衣類を身につけていた。

それでいて二人とも、まったく垢じみたところがなく、いかにも清らかな感じがするのだ。

「二人とも、納屋に寝ている侍と小さな男の子を見たな」

「はい」

「手短かに、はなしておこうかのう」

小兵衛は、井関助太郎と豊松の危急を救ったいきさつを簡短にのべた上で、

「くわしくは語らぬが、この事はな、わしの亡き恩師・辻平右衛門先生にも関わることなのじゃ。なれば、捨ててもおけぬ」

又六と秀は、顔を見合わせた。

二人とも、そうした事情などは、どうでもよかった。秋山小兵衛のためにはたらくという一事のみで充分なのだ。

「と、申しても、さして長くはかかるまい。三日ほど手つだってもらいたい」

「大先生。そんなこといわねえで、どんなことでもいいつけて下せえ」

「たのむ。大治郎のほうは田沼様での稽古もあるし、道場をやすんだりすると、あらぬ噂が立ちかねない。それで、お前さんたちに来てもらったのじゃ」

「このようなときに、よく、お呼び出し下さいました。秋山先生、ありがとう存じます」

杉原秀が頭を下げるのへ、

「礼をいうのは、わしのほうじゃ」

あわて気味に、小兵衛も二人へ頭を下げた。

このときから、杉原秀が関屋村に詰め切り、井関助太郎と豊松を護衛することになった。さらに小兵衛と大治郎が交互に詰め、おはるは隠宅と関屋村との連絡を受けもつ。

そして又六は、小兵衛と共に隠宅にいて、行動を共にするほか、舟で諸方へ連絡をとったり、助太郎の病状しだいでは、小川宗哲を迎えに行ったりすることになったが、

「宗哲先生は老齢のことでもあるし、横山正元さんがいてくれれば、先ず大丈夫じゃ」

と、小兵衛がいった。

このごろの又六は、舟を漕ぐことがうまくなった。水郷・深川に暮して魚介をあつかう商売をしていれば、どうしてもそうなってしまうのである。

日が暮れてから、横山正元が関屋村へもどって来た。

正元と秀の二人が護衛していれば、どのような曲者どもがあらわれようとも、心配はない。

「おはる。わしは、ちょっと出て来る」

「どこへ?」

「せがれと打ち合わせをしておきたいことがあるのじゃ。よいか、おはる。わしも大治郎も、おそらく明日の夕方までは此処へ来られまい。お前は此処から片時もはなれてはいかぬぞ」

「あれ嫌だよう。何をするつもりなのですか?」

「いまにわかる」

「いつでも、そうなのだからね、先生は……いまにわかる、いまにわかる……」

「まあ、文句をいわずに、おとなしくしていろ」

秋山小兵衛は又六を連れ、隠宅へもどった。

二人とも、関屋村で腹ごしらえはしておいた。

隠宅の内部には異状がなかった。小兵衛はしばらく庭先に佇んでいたが、ややあって、

「又六。舟を出してもらおうか」

つづく。

「へい」

夕闇が立ちこめる庭の舟着きへ向って、小兵衛はゆっくりと歩みはじめ、その後に又六がつづく。

と……。

突然、秋山小兵衛の小さな体躯が飛鳥のごとく、舟着きの右手の木蔭へ躍り込んだ。

「あぁっ……」

木蔭で、男の悲鳴があがった。

小兵衛の拳で、胸下の急所を打たれ、

「う、うう……」

唸りながら木蔭からよろめき出て、倒れ伏した。こやつは、昨夜、小兵衛に提灯へ石を投げられた留という男だ。

「お、大先生。こいつは？」

「又六。こやつは、ずっと、この家を見張っていたのじゃ」

「御存知だったので？」

「うむ。だが、こやつはおそらく下っ端で、くわしいことは何も知らぬだろうよ。又六。こやつを舟へ積み込め」

「へい」

間もなく、三人を乗せた小舟が大川へ出て行った。

そこで小兵衛は、留という男に活を入れておいて、

「これ、おい。気がついたか」

「むう……あっ……」

「お前は泳げるか、どうじゃ?」

「う、うう……」

「ま、どっちでもよいわ。泳げなかったら、溺れてしまえ」

小兵衛の手が留の胸ぐらへかかったかとおもうと、

「きゃあっ……」

留の躰は宙に浮き、まっさかさまに暗い大川の中へ落ちて行った。

「又六。舟を山之宿へ着けておくれ」

「へい……あっ、あの野郎、泳いでいますよ」

五

陽気もよくなったが、雨戸を閉めきった、せまい寝間の中は男と女の異様な体臭が蒸れこもっていた。

女の浅ぐろい裸身は汗と脂にまみれ、蒲団に横たわって荒い呼吸をしているのを、男は横眼で見やりつつ傍に寝そべり、煙草を吸っている。

男は、かの悪徳医者の服部宗全であった。

女は、上野山内の天王寺・門前の水茶屋にいる茶汲女で、お金という。

宗全も裸体で、細い躰は意外に引き締ってい、四十の男とはおもえない。そして、肌身が女のように白かった。

「おい……おい」

低く呼びかけながら、服部宗全は毛深い脛を伸ばし、爪先を女の股間へあてがい、ゆっくりとまさぐりはじめた。

「あれ、先生……」

「もう一度、どうだ?」

「もう、だめ……」

「いいではないか」

「先生はよくても、私は、もう、精も根もつき果ててしまいましたよ」

「ふ、ふふ……」

「だって、昨日の日中から此処にこもりっきりなのだから……ああ、もう宗全先生には、つきあいきれません」

「そういうお前のほうも、よく、つづくものだ」

「意地悪」

お金が向き直って宗全へしがみつき、宗全の腕のつけ根あたりへ嚙みついた。

「痛いではないか」

「こうしてやる」

「あ、これ……ばかなことをするな」

「ここも嚙みついてやるから……」

「よし。では、こっちも……」

「あ、だめでござんす」

お金は素早く身をはなし、立ちあがって、

「この上、あんなことをつづけたら、うごけなくなってしまいます」

「帰るのか？」

「あい」

「よし。では明後日、必ず来いよ」

「わかっていますよう」

此処は、下谷・山伏町にある長円寺裏の、服部宗全の住居である。

百五十坪ほどの空地は、以前、長円寺の菜園で、その手入れをさせていた雇いの百姓のために小屋があったのを、宗全が改築して住居にしたのだ。

宗全は長円寺へ、たっぷりと寄進の金を出しているし、老和尚の病気の世話をしてやったこともあって、和尚の信頼は大きいらしい。

二人は、台所へ行き、湯や水で躰の汗をぬぐい、衣類をつけた。

「お金。どうだ。これから上野の山下までぶらぶら歩き、鮒宗で鰻でもやろうではないか、どうだ？」

「よござんすねえ」

「いまのうちに精をつけておかぬと、明後日が大変だからな」

「よくまあ、いいなさる」

二人が外へ出ようとしたとき、

「ごめん。宗全どのはおいでか？」

表に訪う声がした。

「あ、いかぬ」

と、宗全が、

「鮒宗は今度にしよう。私が出て行ったあとで、そっと帰ってくれ」

「あい」

「では、またな」

宗全は、お金の耳朶を軽く嚙んでやって、

「たのしみにしているぞ」

「バカ」

「うふ、ふふ」

薄笑いを浮べつつ、居間へ出て行き、

「ちょうど、いま出るところです。どこか、そのあたりでゆっくりと……」

声をかけておいて、履物へ足をのせた。

ときに八ツ（午後二時）ごろであったろう。

宗全を訪ねて来たのは、剣客ふうの三人で、いずれも三十前後の筋骨たくましい男たちだ。

長円寺の北面は一面の田圃がひろがっていて、日中といえども人通りは少ない。

住居の外へ出て来た服部宗全が、

「これはおそろいで、よくこそ。さ、まいりましょうかな」

三人の剣客浪人は、宗全にぺこぺこと頭を下げた。

このとき、すぐ傍の桐の木の蔭から、小さな人影が音もなくあらわれた。秋山小兵衛である。

小兵衛は着ながしの腰に大小の刀を帯し、白足袋に麻草履をはいていた。

「服部宗全どの」

小兵衛が、しずかに呼びかけた。

はじめて小兵衛に気づいた四人が振り向いた。

「宗全どのじゃな」

にっこりと笑いかけつつ、小兵衛が念を入れた。

むろんのことに宗全は、小兵衛に見おぼえがなかったけれども、

「あっ」

三人の浪人のうちの一人は、先夜、小兵衛の隠宅へ押し入って来ただけに、

「ゆ、油断するな!!」

と、叫んだ。

「何?」

「この爺いが、鐘ケ淵の……」

「何だと」

小兵衛を知らぬ二人の浪人が、大刀を抜きはらい、

「ちょうどよい」

「ここで始末してしまおう」

「始末をするのは、わしのほうじゃ」

と、小兵衛。

「だまれ!!」

「服部宗全とやら。こちらへおいで」

小兵衛が手招きをした。

「う……」

宗全は蒼ざめた。小兵衛を見知ってはいないが、はなしは聞いているらしい。

このとき、秋山小兵衛が田圃に面した道の方へ向って、

「あ、こっちだ、こっちだ」

手を振ったものだから、おもわず、宗全をふくめた四人が背後へ眼を移した瞬間、小兵衛が宗全へ走り寄った。

小兵衛は飛びあがるようにして、背丈の高い服部宗全の頸すじを手刀で強く打ち据えた。

「うっ」

ぐらりと宗全の躰が揺れたときには、早くも小兵衛は右手へ飛びぬけ、藤原国助の大刀ぬく手も見せずに、浪人のひとりの腕を切って落した。

「うわあ……」

肘のあたりから左腕を切断された浪人が、右手の大刀まで放り落し、突伏すように倒れると、

「あっ」

「いかん。引けい」

あわてふためいた二人が、手負いの浪人を引き摺るようにして逃げにかかった。

小兵衛の手刀に気を失なった服部宗全は倒れたままうごかない。

逃げる浪人たちの姿が道の右手へ消えるのと同時に、一挺の町駕籠が左手から空地へ入って来た。

「おお、此処じゃ、此処じゃ」

「へい」

町駕籠は、秋山小兵衛が贔屓にしている浅草・山之宿の〔駕籠駒〕のもので、駕籠舁きの

千造(せんぞう)と留七(とめしち)は、これまでに何度も小兵衛のためにはたらいてきたし、二人とも実に口の堅い、駕籠舁きにはめずらしい男たちであった。

そのうしろから、秋山大治郎が空地へ入って来た。

「父上。おみごとでしたな」

「せがれにほめられても、うれしくないわえ。それよりも早く、服部宗全を駕籠へ入れてしまえ」

「合点でござんす」

留七と千造が宗全の口へ猿(さる)ぐつわを噛ませ、目隠しをし、手足を縛って駕籠の中へ放り込んだ。

「大治郎。だれも見てはおらぬな?」

「大丈夫です」

「よし。お前は一足先に行ってくれ。わしも、すぐ後から行く」

「はい」

大治郎が駕籠につきそい、道へ出て行くのを、小兵衛は見送った。

宗全の台所口で、何か物音がした。

小兵衛が木蔭へ身を寄せたとき、台所口から、お金がよろめきながら出て来た。

いまのありさまを、障子の隙間(すきま)から見ていたのである。

木蔭から出て、

「これ、女」

声をかけて小兵衛が近寄って行くと、お金はわなわなとふるえ出した。

「こちらへおいで」

「な、何を……」

「よいから、おいで」

小兵衛は、お金を台所の中へ押しもどしておいて、

「ごめんよ」

軽く当身(あてみ)をくわすと、

「むうん……」

お金は、気を失って倒れた。

その手足を、お金の扱(しごき)で縛り、台所の手ぬぐいで猿ぐつわを噛ませておいて、小兵衛はお金を抱き起し、居間へ運んだ。

その後も、しばらくの間、小兵衛は宗全の住居にいた。

初夏の午後の日ざしは、まぶしいほどに明るい。

ややあって、道へあらわれた秋山小兵衛が、

「さて、これからじゃ」

つぶやくともなくつぶやき、大通りへ出て上野山下の方へ歩みはじめた。

その前夜

この連作小説〈剣客商売〉の中の〈初孫命名〉の一篇に、千駄ケ谷（現・東京都渋谷区千駄ケ谷）に閑居している松崎助右衛門という老人が登場したことを、読者はおぼえておられよう。

松崎老人は、秋山小兵衛より二歳年上というから、今年で六十八歳になる。

この人は、小兵衛と共に辻平右衛門の許で剣をまなんだが、

（おれの、剣の筋はよくない。これでは、とても剣をもって立つことはできぬ）

悟って断念し、折から重病にかかったこともあり、いさぎよく、あきらめて千駄ケ谷へ隠宅を設け、引きこもった。

何となれば、松崎助右衛門は六百石の旗本の三男に生まれたので、家を継ぐこともならなかったのだ。

松崎老人の妻女お幸は、町家に生まれ、はじめは松崎家へ女中奉公をしていた。そして助右衛門が大病中に、お幸が懸命の看護をしたとき、両人の心と心がむすばれ、後に夫婦となったのだそうな。

松崎老人と秋山小兵衛は、若いころからの親密な間柄を、いまも持続している。

当時の千駄ケ谷は江戸の郊外といってよく、閑静な、ひろい土地に隠宅をかまえ、庭の一隅に納屋があった。いや、納屋とも見えぬ、中二階の壁を塗った堅固な建物で二十坪もあろうか。階下はまさに物置きだが、中二階には、松崎老人が実家の兄からゆずり受けた品々や書類、書籍などが収蔵されている。

秋山小兵衛父子が、誘拐した町医者・服部宗全を駕籠へ押し込め、運び込んだのは、この松崎老人の隠宅の納屋であった。

むろんのことに、これは松崎老人の了解を得た上でのことだ。

小兵衛は宗全を、納屋の階下へ入れ、両手両足を太い柱に縛りつけた。

気がついた服部宗全は、恐怖と不安に蒼ざめていた。

「お前はだれだ？」

とか、

「何処の何者だ。名をいえ!!」

とか、わめいたかとおもうと、

「この私を何とおもっているのだ。私のうしろには御奉行所もついているし、お前たちが名を聞けば、びっくりするような御大名もついているのだぞ」

脅してみたりするが、秋山小兵衛は薄笑いを浮かべるのみで取り合わぬ。

夕餉は、秋山父子が交替で、母屋の松崎家へ行ってすませた。

夜に入ってから、小兵衛と大治郎が納屋へもどり、

「おい、これ、服部宗全。いまのうちに腹ごしらえをしておかぬか、どうじゃ?」

「いらぬ」

「そうか。握り飯でも、もらって来てやろうとおもったが、いらぬか?」

「いらぬ」

「ならば、そのまま聞け。おのれは何故、皆川石見守様の御屋敷へ出入りをするのじゃ?」

「知らぬ」

宗全は先刻から叫びつづけて声も嗄れ、気力もおとろえてきているが、必死に白い眼を剝き、秋山父子を睨みつけていた。人家を遠く離れた、この場所で、いかにわめいても叫んでもむだなことを、宗全はようやく悟ったらしい。

「どうじゃ、宗全。いまのうちに、おのれの悪事を吐いてしまえ。そのほうが身のためだぞ」

「黙れ。悪事をしているのは、おのれたちではないか」

「ふん」

小兵衛は鼻で笑い、小刀を出して竹の棒を削りはじめた。

宗全のみか、大治郎も不審そうに小兵衛のすることを見ていた。

「どうだ、吐け。吐いてしまえよ」

「吐くことなど、何もない」

「ふうん、そうかえ」

「そうだ」

「よし」

うなずいた小兵衛が、

「大治郎。こやつに、また、猿ぐつわを嚙ませておけ」

「はい」

土間の片隅にあった木箱を、小兵衛が宗全の眼の前へ置き、大治郎に、

「こやつの右手を、この箱に乗せ、うごかぬように押えていてくれ。左手は柱へ括りつけておくがよい」

「何をなさいます?」

「ま、見ておれ」

大治郎は、父のいうとおりにした。宗全は身を踠いたが、大治郎ほどの剣士に腕を押えられたのではどうにもならぬ。

「どうだ、まだ泥を吐く気にはならぬか?」

小兵衛は先刻、削り取った薄い竹篦のようなものを三つ四つ手にして宗全の前へ近寄り、屈み込んだ。

「吐け、吐け。わしは気が短い。急いでいるのじゃ」

「い、いやだ。吐くものはない」

かぶりを振って、宗全が呻くようにいった途端に、小兵衛は先の尖った竹箆を、いきなり、宗全の右手人差指の爪の下へ、ぐいと刺し入れたものである。

「ぎゃあっ」

おそらく宗全は、魂消るような悲鳴をあげたろうが、猿ぐつわを噛まされているので、あまり口の外へ洩れなかった。

しかし、その衝撃と激烈な痛みがどのようなものであったかは、死人のように変った宗全の顔色を見ても容易にわかる。

一息入れる間もなく、秋山小兵衛は、宗全の中指の爪の下へ、またも竹箆を突き込んだ。

服部宗全の全身が、はげしく痙攣し、絶叫した。

大治郎は、呆れたように父の顔を打ちながめた。

一

間もなく、秋山大治郎は千駄ケ谷の松崎家の隠宅を出て、急ぎ関屋村へもどって行った。

その後も、小兵衛は宗全を責めつけていたらしい。

(父は、宗全に何やら白状をさせようとしている)

と、大治郎は呑み込んでいたが、それにしても、父が人を、あのような凄まじい拷問にかけるのを見たのは、はじめてであった。

大治郎が隠宅を去るとき、納屋から出て来た小兵衛が、

「大治郎、おどろいたかえ？」

「いささか」

「ほかに方法もあるが、あの男にはこれがいちばんよい。なまなかのことでは口を割らぬと看た。それに今度の事件は、気長に始末をするわけにはまいらぬ」

「はい」

「さほどに長くはかかるまいとおもうが、関屋村で心配しているといかぬゆえ、いったん、お前が帰って、代りに又六をよこしてくれ」

「又六で大丈夫でしょうか？」

「なに、あれならばしっかりしている。心配はない」

「父上は？」

「明日の昼までには、関屋村へ帰れるだろうよ」

「それまでに、白状しますかな？」

「ふん」

鰻売りの又六は、提灯を手に、深夜になってから隠宅の納屋へあらわれた。

そのときには、小兵衛の拷問は終っていた。

服部宗全は手足を縛されたまま、柱の下の土間に敷いた筵の上へ横たわっていて、一目見たとき、又六は宗全が死んでいるとおもったほどだ。

秋山小兵衛は傍の木箱に腰をかけ、煙草を吸っていた。

「又六、御苦労だったのう。すぐに此処がわかったかえ?」

「へえ、若先生は道を教えるのがうまいですよう」

又六は、大治郎が描いた絵図面を出し、

「このとおりに歩いて来たら、迷わずに着きました」

「それは何より。どうだ、腹ぐあいは?」

「ぺこ、ぺこ、ぺこで……いえ、大先生。大丈夫です」

「よし、よし。いま、母屋へ行き、大きな握り飯をもらって来てやろう。ちょっと待て」

小兵衛が母屋へ行くと、松崎助右衛門は、老妻お幸を相手に酒をのんでいた。

「お、小兵衛さん。ちょうどよい。さ、これへ……」

「おそれ入ります」

松崎老人は小兵衛にとって、兄弟子というわけだから、親しい間柄でも、小兵衛は丁重な口のききかたをする。

「どうじゃな、かたがつきましたか?」

「はい。おかげをもちまして」

「それはよかった」

「とんだ御面倒を、おかけしてしまいました」

「いやなに、この年寄りにも何かすることはないか?」

「とんでもないことで」

「近ごろは退屈して困っている。何か、やらせてくれぬか」

「さほどに?」

「いかさま。婆さんも、わしがあまりに退屈しているのを見て、ためいきをついている。たのむ、何ぞ手つだわせてくれい」

間もなく、秋山小兵衛は握り飯と香の物の盆を持ち、納屋へもどって来た。

小兵衛が母屋へ行った後で、服部宗全は、「五十両の大金をやるから、縄を解いて逃がしてくれ」と、又六にたのんだらしい。

そのことを又六が、もどって来た小兵衛に告げたものだから、宗全は蒼くなった。

「ばかものめ。このわしが、おのれに買収されるような男を、見張りにつけるとおもったのか」

「う……」

「おのれが吐き出したことの嘘か、嘘でないかをたしかめ、もし嘘でなければ、すぐさま解きはなしてやろう。安心するがよい」

宗全は、先刻、爪の間へ竹箆を突き込まれたときの激痛が、まだ消えぬらしく、低い呻き声をあげている。

小兵衛は又六に手つだわせ、握り飯と共に持って来た膏薬で爪の手当をしてやった。

「痛いか。薬が沁みるかえ?」

「もしも、おのれが嘘を吐いたとわかったなら、今度は左の手の爪じゃ。おぼえておけよ」

「う、うう……」

「あ、ああ……」

又六が握り飯を頰張っている間、服部宗全は何も彼も、あきらめきった様子で筵の上へ打ち倒れていた。

「又六。すまぬが……」

「はい。何でも、いって下さいまし」

「これから、もどってくれ」

「はい」

「そしてな、山之宿の駕籠駒へ行き、明日の朝、此処へ、わしを迎えに来るようにたのんでおいてくれ」

「ようございますとも」

「心得ていようが、駕籠舁きは千造と留七だぞ。わしは、その駕籠で鐘ヶ淵へ帰ると、関屋村へ、そうつたえておいてくれ」

「わかりました」

「それから又六。お前は鐘ヶ淵へもどり、わしが帰るのを待っていておくれ」

「はい」

「ちょっと待て」

こういって、秋山小兵衛は母屋へ引き返して行き、半刻（一時間）ほど後に、納屋へもどって来た。

鰻売りの又六は、すぐに納屋を出て、浅草・山之宿へ向った。

この夜、小兵衛は納屋の土間に用意した寝床で眠った。そして、筵の上で唸っている服部宗全へ蒲団を掛けてやった。

翌朝の五ツ半（午前九時）ごろに、〔駕籠駒〕の駕籠が小兵衛を迎えに来た。

小兵衛が出て行ってから、しばらくして、松崎助右衛門が納屋へあらわれ、

「これ、おい……おい、曲者」

「あ……」

「目がさめていたらしいのう」

「う……」

「今日は、わしが見張りをする」

服部宗全が、便意をうったえた。

小用ができるように、仕度はしてあるが、大便のための用意はない。

「よし、よし」

松崎老人は、宗全の後手を縛した縄尻をとって、納屋の外へ連れ出した。

宗全は、しきりに隙をうかがい、逃げるつもりでいたらしいが、松崎老人に隙はなかった。

みずから「筋がよくない」と、いい、剣術をあきらめた松崎助右衛門であるが、何といって

も故辻平右衛門の道場で修行をつみ、若いころには秋山小兵衛と互角の腕前であっただけに、宗全が、母屋とは別の、庭の一隅に建てられた厠(かわや)へ入るとき、松崎老人が、

「妙なまねをするなよ」

じろりと睨むと、宗全の五体は竦(すく)んでしまった。

服部宗全の便は、出なかったようだ。

二

その日。

秋山小兵衛が鐘ケ淵の隠宅へ帰ると、すでに又六も隠宅へもどって来ていたし、昨夜、又六の知らせを聞いたおはるも関屋村からもどり、台所で昼餉(ひるげ)の仕度をしていた。

「よし。では、駕籠の二人にも腹ごしらえをさせておあげ。そして、ちょっと待ってもらえ」

「あれ、また何処(どこ)かへ行きなさるのかえ?」

「おはる。これから二、三日は忙がしいのじゃ」

「でも、また、目眩(めまい)が……」

「そんなことを気にしてはいられなくなった。それよりも関屋村のほうに変りはなかったか?」

「あい。でも、助太郎さんが、また熱を出して……正元先生がいいなさるには、躰の方々が悪くなっているとか」

「何……」

「これはきっと、長い間、苦労をしつづけて、心も躰も傷めていたにちがいないと、そういっていいなさいましたよ」

「そうか」

井関助太郎の傍には、お秀と横山正元がつきそっている以上、先ず心配はない。

「大治郎は？」

「今日は、田沼様の御稽古の日で、朝早くから御屋敷へ」

「そうか。それでよし」

秋山大治郎は、日暮れに関屋村へ立ち寄るからと、小兵衛への伝言をおはるにたのみ、今日の早朝に、関屋村から田沼屋敷へ出むいて行ったそうな。

おはるは、山芋のとろろ汁をつくって出した。炊きたての麦飯にとろろ汁をかけまわして食べるのは、若いころから小兵衛の大好物であった。

大治郎も今朝は、このとろろ飯を食べて神田橋御門の老中・田沼主殿頭意次・上屋敷へ出かけたという。

大治郎妻・三冬は、田沼老中の妾腹の子だけに、田沼老中は大治郎を実の子のようにおもい、一日置きに邸内の道場へ来て、田沼の家来たちに稽古をつける大治郎と、

「今日は会えよう」

おもってはいても、激務のために、なかなか会えぬとか……。

いま、世上における田沼の人気は悪くなる一方であった。

幕府の最高権力者として、渾身をかたむけ、政治にあたっている田沼老中だが、いつの世にも、最高責任者が、よくいわれることはない。ことに徳川の天下となって以来、百六十余年がすぎて、徳川幕府の政治機構は複雑になるばかりで、何事にも無駄と非能率がつきまとい、田沼がおもうように、なかなか事が運ばないのだ。

さて……。

この日、田沼屋敷へおもむいた大治郎も、秋山小兵衛も、そして当の田沼意次も、非常の異変が、明日にせまっていようとは夢にも想わなかったのである。

腹ごしらえをすませた小兵衛は、

「今夜は、関屋村へ行けるとおもうが、正元さんには御苦労ながら、井関助太郎の傍を片時もはなれぬように、小兵衛がたのんでいたとつたえておくれ。よいか、おはる」

いつになく、小兵衛の口調があらたまってい、両眼は、きびしく光っている。

「あい」

うなずいたおはるは、固唾をのんだ。

「又六は、わしについて来てくれ。おはるは、すぐに関屋村へもどれよ」

小兵衛は待たせてあった駕籠へ乗り、浅草・山之宿の駕籠駒へ寄って、又六のためにも駕籠をたのんだ。

「大先生。私は駕籠なんか、いらねえですよ」

しきりに辞退をする又六へ、

「よいから乗っておくれ。これからはお前にも、ずいぶんと、はたらいてもらわねばならぬゆえ、な」

「何処へ行くですか？」

「麹町じゃ」

小兵衛は、麹町九丁目にある〔舛屋〕という蕎麦屋の前で駕籠を下りた。

その店は、四谷御門を入って、すぐの左側にあり、小兵衛が道場をかまえていたころからの、なじみの蕎麦屋であった。

「又六。わしがもどるまで、この蕎麦屋で待っていてくれ」

「はい」

舛屋の亭主にたのみ、又六を二階へあげてから、

「では、たのんだぞ」

「行っていらっしゃいまし」

「もしやすると、後で、客をひとり、連れて来るやも知れぬ」

「はい、はい。お待ちいたしております」

亭主に見送られて、秋山小兵衛は、ゆったりとした足取りで東へ向って歩む。

先刻、鐘ケ淵の隠宅で着替えをした小兵衛は、袴をつけ、縫紋のついた羽織に白足袋、両刀を腰にした侍の準正装という姿である。

道の両側は、麹町一丁目から九丁目までの町家で、突当りは半蔵門だ。

今日も快晴で、道を行く侍たちは扇をつかいながら歩いている。

小兵衛の躰も、少し汗ばんでいた。

両側の町家の軒下に巣をつくっている燕が、矢のように道の上を飛び交っていた。

小兵衛は、麹町八丁目にある〔山城屋〕という小間物問屋の前で足を停めた。

〔紀州家御用　小間物類品々　山城屋・宇佐美文吾〕の金看板を掲げた堂々たる店構えで、山城屋は紀州家のみか、大名、大身の旗本への出入りもあり、業界では知らぬ者とてない大店である。

小兵衛は、しずかに山城屋の中へ入り、

「それがしは秋山小兵衛と申す者だが、御主人に、ぜひともお目にかかりたい」

と、申し入れた。

これを手代らしい若者が取次ぐと、中年の番頭があらわれ、

「てまえは、番頭の吉蔵と申します。主人・文吾は、ただいま、急の病いにて奥に臥っておりまするが、何の御用か、てまえがうかがいまして……」

いいかけるのを、

「あ、いや」

小兵衛が制して、ふところの紙入れに挿んでおいた手紙を抜き出した。

山城屋は、高級品をあつかう大店ゆえ、通りがかりの客が入っているわけでもなく、奉公人も至って物静かにしている。

「御主人は急病か？」

「は……」

「さもあろう」

「……？」

番頭の吉蔵が、妙な顔をした。

羽織・袴をつけ、大小の刀を帯びた秋山小兵衛は、いつもの小兵衛ではない。そこは、かつて無外流の名剣士とうたわれただけあって、自ずからなる威厳が生じ、番頭は気圧されている。

「この手紙を、御苦労ながら、御主人に見せていただきたい。中味は長いものではないゆえ、読むに骨が折れることもあるまい。それがしは此処で、御主人の御返事を待ちましょう」

何とおもったか、番頭・吉蔵の顔色がさっと変った。

小兵衛の手から受け取った手紙を、ちょっと押しいただくようにしてから、番頭は小走りに、奥へ去った。

三

小兵衛が、番頭を通じて山城屋文吾へわたした手紙は、

「それがしは秋山小兵衛と申す一剣客であるが、いま、自分の手許に井関助太郎と豊松の両名を匿まっております。このことについて、いささか談合をいたしたい」

およそ、このような簡単なものであったが、手紙を読んだ山城屋文吾の顔は、驚愕と不安とで蒼ざめ、手紙を持つ手がわなわなとふるえはじめた。

「だ、旦那さま……」

摩り寄った番頭・吉蔵が、

「それは、な、何の手紙なので？」

「よ、読んでみておくれ」

と、山城屋が、すぐさま手紙を吉蔵へわたしたところをみると、この番頭は、よほどに山城屋の信頼を受けているといってよい。

手紙をわたした山城屋は、臥所の上の枕を立てて寄りかかり、深いためいきを吐いた。

病中である所為か、むろんのことに顔色もすぐれず、躰も痩せ細り、年齢は七十にも見えるが、実は山城屋文吾、六十一歳なのである。

「旦那さま。いかがいたしましょう？」

「お前は……お前さんは、どうおもいなさる？」

「私の目には、立派な御方に映りましてございます。眼つきは強いようにおもわれましたが、両眼ともに澄み切っていて、とても悪人ども一味とはおもえませなんだ」

「そうか……」

「どうなされます？」

「むう……」

唸って、瞑目し、しばらくは沈思していた山城屋文吾が、

「お前さんの目に狂いはあるまい。よし、会いましょう。お目にかかってみよう」

決然といった。

「はい。私どもも目をはなしませぬゆえ……」

「まさか、此処で乱暴をはたらくこともあるまい」

「そのような人柄には見えませぬでございます」

「さ、お通ししておくれ」

「はい」

引き返した番頭の吉蔵が、秋山小兵衛に、

「御案内申しあげますが、何分、てまえどもの主人は、いま病中で臥っておりますので……」

「何、かまわぬ」

うなずいた小兵衛が土間からあがって、腰の刀へ手をかけたものだから、

（あっ……）

吉蔵はぎょっとなったが、小兵衛は刀を抜こうとしたのではない。

大小の刀を腰から脱し、

「この刀、おあずけいたそう」

吉蔵の前へ置いた。

「は、はい」

おどろきが、安心に変った。

吉蔵は両刀を抱くようにして立ち、小兵衛の先へ立った。

これを、居間の諸方から見ていた奉公人たちの口から、形容しがたい音がきこえた。

彼らも恐れ、不安になっていたのだ。

それが、安心のためいきとなって出たのであろう。

「こちらでございます」

山城屋の寝所へ入って、坐った小兵衛の傍に吉蔵が両刀を置いた。

小兵衛が気づき、吉蔵を見て、にっこりとした。

その様子を見ていた山城屋文吾の疑念も、たちまちに消えた。

山城屋は、かたちをあらためて両手を突き、

「このように、むさ苦しいありさまにて、まことに失礼な……」

「あ、いや。気になさるな」

「私めは……」

「御主人」

「は？」

「このさい、体裁や遠慮をぬきにいたそう。何よりも、事を急がねばならぬゆえ」

「あの……井関助太郎様と、それから豊松、さまが、あなたさまの御手許におられると、この手紙に……」

「いかにも」

力強く、うなずいた小兵衛に向って、山城屋が身を乗り出し、

「それは……そ、それは、まことのことでございますのか？」

「まことなりやこそ、こうして訪ねてまいったのでござる」

「ああ……」

山城屋が感動の呻き声を発したかとおもうと、その両眼から泪がふきこぼれ、

「生きて……生きておられましたか、二人とも……」

「生きている、生きている」

「ありがたい、かたじけのうございます」

山城屋文吾は、小兵衛へ両手を合わせた。

番頭の吉蔵も、両手に顔を被った。

「なれど秋山様。あなたさまは何故、このようなことを御存知なので?」

「先ず申しあげる。井関助太郎は、それがしの門人でござった」

「ええっ。では、井関様が何も彼も、あなたさまに申しあげたのでございますか?」

「いや、あの男は見あげたもので、むかしは自分の師匠であった、この小兵衛にも堅く口を閉ざし、豊松どのをまもりぬいて、いまは躰を損ね、寝たきりになってしまいましてな」

「げえっ……」

「なれど山城屋どの。あなたの可愛い孫……と、申すよりは、九千石の大身旗本・皆川石見守様の血をわけた御子、豊松どのは無事でござる」

「ぶ、無事と、おっしゃいました……?」

「いかにも」

するど、山城屋が番頭に向って、

「あ、ああ……何という、ありがたいことではないか、吉蔵」

「はい、はい」

それから半刻ほどして、秋山小兵衛は山城屋を出た。

出るときに番頭・吉蔵が、

「この店も、見張られているのでございますよ」

と、ささやいた。

小兵衛は、麴町九丁目の蕎麦屋に待っていた又六を呼び出し、

「すまぬが、これから駕籠を拾い、千駄ケ谷へ行き、松崎助右衛門殿と見張りを替ってくれ」

「ようございます」

「駕籠を拾うまで、わしがついていよう。見張られているやも知れぬゆえ、な」

「えっ、見張りが？」

「油断はならぬ。いずれにせよ、あの曲者の町医者は、いま少し捕えておきたいのじゃ。よいな」

「はい」

「さ、行こうか」

小兵衛は、四谷御門外で辻駕籠を拾い、又六を乗せ、

「よいか、又六。駕籠を松崎殿へ乗りつけてはならぬぞ。はなれたところまで行き、あとは下りて歩いてくれ」

「はい、わかりました」

又六を乗せた駕籠が、濠端の道を遠ざかって見えなくなるまで、小兵衛は立ちつくし、あたりに目をくばっていた。

たとえ、見張りの者がいたとしても、これでは駕籠を尾けて行くわけにはまいらぬ。

まさに、そのとおりであった。

見張りの者がやはり、いたのである。

遠くの物陰で、秋山小兵衛の後姿を見ながら、見張りの男は舌打ちをした。

この男は、かの船頭・長吉だ。

四

又六を乗せた辻駕籠が見えなくなってからも、秋山小兵衛は四谷御門外に出ている葭簀張りの茶店へ入り、茶をたのみ、饅頭を二個、腹へおさめた。

「おや、めずらしい。秋山先生じゃあございませんか」

茶店の老亭主が、びっくりして、声をかけた。

この茶店は、小兵衛が四谷・仲町に道場をかまえていたころから、同じ場所に店を出している。

「おお。おぼえていてくれたか」

「忘れるものじゃあございませんよ。先生には質の悪い酔っぱらいを、何人も追っぱらっていただきました」

「ふ、ふふ。そんなこともあったのう」

「はい、はい」

「ずいぶんと元気ではないか。むかしと少しも変らぬ」

「へえ、もう、気分だけは、むかしのままでござんす」

「おかみさんに変りはないかえ？」

「婆ぁは、私よりも達者でございますよ」

「それは何よりだ。何より、何より。ときに、この饅頭も、むかしのままの味じゃ。うまいな」

「これだけが、自慢なのでございます。うちの婆ぁの取得といったら、この饅頭をつくることだけなので」

「茶を、もう一杯たのむ」

「はい、はい」

いつの間にか、日が傾いている。

「先生は、いま、どちらにおすまいでございますか」

「大川（隅田川）の、鐘ケ淵あたりで、秋山小兵衛と尋けば、すぐにわかる。そうじゃ、この饅頭を届けがてらに遊びに来ぬか」

「へえ、いつでも素っ飛んでまいります」

「おかみさんも一緒に、な」

「ありがとう存じます。それを聞いたら、婆さんめ、どんなによろこぶか知れませんでございます。では明日にも……」

「あ、待て」

「へ？」

「いま、ちょいと取り込み事があってのう。そうじゃ、そのかたがついたなら、此処へ使いの者をよこすから、そうしたら、いつでも来ておくれ。よいな」

「はい。婆ぁが腕に縒りをかけた饅頭を……」

「たのむぞ」

「はい」

「さ、茶代じゃ」

「あ、こんなに……とんでもないことでございます、先生」

「面倒なことをいうな。では、饅頭をたのしみにしているぞ」

茶店を出て、四谷御門内へ入りかけると、老亭主の仁助が、まだ見送っていて頭を下げた。

小兵衛は、それに手を振って見せ、ふたたび麹町の通りへ取って返した。

といっても、山城屋へ引き返したのではない。

山城屋の前を素通りして、神田橋御門内の老中・田沼意次の屋敷へ向ったのだ。

いうまでもなく、船頭の長吉は、これを見張っていたが、秋山小兵衛は気づいていたか、いなかったか、それは知らぬ。

長吉は見え隠れに、小兵衛の尾行を開始した。

「畜生。老いぼれめ、今日こそ思い知らせてくれる」

尾行しながら、長吉がつぶやいた。

小兵衛は、田沼屋敷へ着くまで、一度も振り向かなかった。

田沼意次は、江戸城から退出したばかりで、

「これは秋山先生。久しぶりじゃ。ちょうどよい、今夜は暇ができ、のんびりとしていたところゆえ、ゆるりと酌(く)みかわしたい」

大よろこびで、小兵衛を奥の間へ招じ入れた。

「秋山先生。三冬は、このごろ少しは女らしゅうなりましたかな？」

「せがれ大治郎には、もったいないほどの女性(にょしょう)でございます」

「いや、それは過分にすぎると申すものじゃ」

「まことのことにて……」

「さようか。それならば、意次も、いささか安堵(あんど)いたす。ときに先生」

「はい？」

「今日は、何ぞ、特別の御用がおありではないのか？」

「お気がつかれましたか？」

「いかにも。さ、何なりと遠慮なく、申されるがよい」

酒を酌みかわしつつ、二人の談合は一刻(いっとき)（二時間）におよんだ。

秋山小兵衛が田沼邸を辞したのは、そろそろ五ツ（午後八時）になろうかという頃(ころ)おいであった。

小兵衛は、神田橋御門を出て、八ツ小路(こうじ)の方へ歩み出している。

八ツ小路は、江戸城・外濠の筋違御門(すじかいごもん)内に設けられた火除地(ひよけち)（広場）である。

すでに夜となっていたが、初夏といってもよい季節だし、行き交う人びとの提灯のあかりも、ゆったりと道をながれていた。

このあたりは、江戸市内でも安全な地帯で、まだ戸をおろしていない町家もあった。

田沼屋敷で借りた提灯を手にした小兵衛は、筋違御門内を右へ曲がり、少し歩いてから柳原の堤へあがって行った。

柳原の堤は、神田川に沿って、筋違橋から浅草橋へつづく長さ十町ほどの堤だ。

享保のころに、この堤へ柳を植えたものが、いまは堤いっぱいに繁茂して、夜に、この堤へかかると安全地帯どころではなくなる。

追い剝ぎも出るし、夜鷹（道端で客を拾う下級の娼婦）も出る。

秋山小兵衛は左に神田川をながめつつ、堤の道を、ゆっくりと東へ歩む。

浅草へ出たら、どこかの船宿の舟で関屋村へ行くつもりである。

風が出て来た。

日中は汗ばむほどになったが、夜風は、まだ冷めたい。

風に、柳の葉がさわぐ。

このとき、堤の上には人影もなかったが、和泉橋をすぎたところで、小兵衛の足がぴたりと停まった。

小兵衛の左手が、そろりと大刀の鍔ぎわへかかった。

大刀の鯉口を切ったのだ。

突然……。

堤の下の木蔭に潜んでいた覆面の浪人が三人、堤の上へ駆けあがって来て、小兵衛の前へ立ちふさがった。

同時に、これも覆面の浪人が二人、いつの間にか堤の道へあらわれて、小兵衛の背後に迫った。

五

ばさっと、秋山小兵衛が手にしていた提灯が前方の曲者に叩き切られた。

転瞬、小兵衛は振り返って、踏み込みざまに抜き打っている。

「あっ」

小兵衛の背後から迫って来た曲者の一人が、刀を放り捨ててよろめいた。

息もつかせず、さらに小兵衛は身を沈め、別の一人の足を切りはらった。

「ぎゃあっ」

こやつの叫びは悲鳴に近かった。

ぱっと飛び退った小兵衛めがけて、三人の曲者が一斉に斬り込んで来た。

月の無い夜であった。

小兵衛は、その闇夜を存分に利用した。

風さわぐ柳原堤に、

「包み込め」

「逃がすな!!」

曲者どもの声が乱れ飛ぶ。

だが、飛鳥のような秋山小兵衛のうごきに、彼らはついて行けなかった。

「あゝっ……」

叫ぶ声と共に、水音がきこえた。

曲者の一人が、神田川へ落ち込んだらしい。

「鋭」

はじめて、小兵衛の気合声が起った。

「むうん」

唸り声を発した一人が、堤の草の中へ倒れ伏した。

「おい」

と、小兵衛が、一人だけになった覆面へ声をかけた。

「早いうちに、逃げるがよいぞ」

「な、何を……」

「おのれらは、何処の者じゃ?」

「うるさい」

「そこいらに倒れているやつどもは、死んでおらぬ。好きなところへ連れて行け」

ぬぐいをかけた刀身を鞘へおさめ、堤の道を浅草の方へ去る小兵衛に、斬りかかろうとして、ついに斬りかかれず、覆面の曲者は歯がみをした。

「爺いめ、やるのう」

この場から少し離れた柳の木蔭に立って、すべてを見とどけていた男が、つぶやいた。

この男は、先日の夜、下谷・通新町にある大岡信濃守・下屋敷（別邸）の博奕場にあらわれ、中間頭の駒蔵が船頭・長吉に引き合わせた剣客ふうの浪人・浅井源十郎である。

その傍に、船頭の長吉がいた。

「せ、先生。どうして、あの爺いをやっつけて下さらねえのです」

「ばか」

「へ……」

「この闇夜だ。斬り損なってはつまらぬ」

「でも……」

「よいか、長吉。おれが、あの爺いを斬るときは一騎打ちだ。そのつもりでおれ」

「ですが、今夜あつめた連中は、みんな腕利きぞろいのはずだったのでござんすがねえ」

「あの爺いは、それを、はるかに上まわっている」

「何しろ、とんでもねえ爺いで……」

「張り合いが出て来た」

「え?」

「あの爺いなら、金をもらわなくとも斬ってみたい」

こういって、浅井源十郎は微かに笑った。

傷を負った曲者、神田川から這いあがって来た曲者など、それぞれに何処かへ姿を消し、浅井源十郎と長吉も堤から立ち去ったころ、秋山小兵衛は浅草御門を出て、大川辺りの船宿で舟をたのみ、鐘ケ淵の隠宅へ向いつつあった。

この夜、小兵衛が隠宅へもどると、

「あれまあ、無事でよかったよう」

飛び出して来たおはるが、いきなり、小兵衛に抱きついて泣き出したものだから、

「これ、あまり、びっくりさせるな」

「だって、もう心配で、心配で」

「ま、安心しているがよい。秋山小兵衛は長生きをすると、小川宗哲先生もいっておられたではないか」

「でも、今度は……今度のことは……」

「おはる。湯を沸かしておくれ」

「沸いています」

「それはありがたい」

入浴をすませた小兵衛は、おはるが仕度しておいた茶漬を食べてから、

「これから関屋村へ一緒に行こう」

「あれ、今夜は、ゆっくりと休みなすったがいいですよう」

「いや、事を急がねばならぬ。横山正元に用事があるのじゃ」

「そんなに忙がしく、あっちこっちと飛びまわって、また目眩でも起きたらどうします?」

「そんなものは忘れたわえ。さ、仕度をしてくれ」

　着替えをした小兵衛が、堤への道をのぼるとき、

「それ、足許に気をつけて」

　とか、

「下を、よく見て下さいよう」

　とか、しきりに世話をやきながら、おはるは握りしめた小兵衛の手をはなさぬ。

　関屋村の、おはるの実家へ着いた小兵衛は、納屋を改造した離れ屋へ行き、

「正元さん。病人は、どんなぐあいじゃ?」

「油断はできません」

「そんなに悪かったのか……」

「肝ノ臓が、ひどく悪い。今日、小川宗哲先生がおいでになり、やはり、そういっておられました」

「ふうむ」

　井関助太郎は、深い眠りに落ちていた。

豊松も、奥の間で眠ってい、杉原秀は、その枕元に坐っている。

「正元さん。実はな、明日、半日ほど手を貸してもらいたいのじゃが、その間、病人からはなれても大丈夫だろうか?」

「はい。いまは薬をのませ、安静にさせておくよりほかに仕様もありませぬ。秀どのがついていて下されば大丈夫です」

「そうか……」

小兵衛が杉原秀を見やると、秀は、たのもしげにうなずいた。

「よし。ではたのむ。くわしいはなしは後でする」

「はい」

それから小兵衛は、豊松が眠っている奥の間へ入って行き、刀箪笥の前へ坐った。

そして、これまで腰に帯していた藤原国助の大刀を刀箪笥の最下段へおさめた。刀箪笥は三段の引出しになっている。その二つ目の引出しから、小兵衛は一振の大刀を取り出した。

この古刀は、濃州・兼元が鍛えた刃長二尺五厘の銘刀で、井関助太郎が、

「亡父の形見として、この一刀を、お傍に置いていただきますれば……」

と、贈ってくれたものである。

小兵衛は其処に端座して、しずかに刀身を抜きはらった。

刀身の地鉄の杢目が美しく、刃文の乱れは何度見入っても飽きない。

刀の手入れは絶えずおこなっている小兵衛だが、あらためてぬぐいをかけ、打粉をうちは

じめた。

横山正元と杉原秀は、おもわず眼と眼を見合わせた。

凝と刀身に見入りつつ、打粉をうつ秋山小兵衛の横顔は、平常の小兵衛のものではなかった。

殺気というのではないが、正元と秀は、それぞれ武芸に達しているだけに、ものしずかな小兵衛の顔貌の底に潜む闘志を、あきらかに看てとったらしい。

夜は更けている。

秋山小兵衛すら予測だにせぬ異変の日、異変の時が刻々とせまりつつあった。

異変は翌日の夕刻に、卒然として起るのである。

流　星

この日の夜のうちに、秋山小兵衛は、おはるをともない、鐘ケ淵の隠宅へ帰って行った。

おはるの実家の離れ屋へ残った横山正元は、井関助太郎の病床に付きそって寝た。

奥の間には、豊松と杉原秀が眠っている。

正元が目ざめたのは、翌朝の七ツ半（午前五時）ごろであったろうか……。

正元が眼を開けたとき、すぐ向うの病床に横たわっている井関助太郎が、凝と正元を見つめているではないか。

「あ……どうかなされたか？」

低い声で問いかける横山正元に、助太郎が唇へ手を当てて見せた。

「……？」

つぎに、助太郎は右手を出し、側へ来てもらいたいというように手招きをする。

正元は、そっと寝床を出て、助太郎の側へ行くと、助太郎が、

「側へ寝て下され」

ささやいたので、正元は、ちょっと妙な気がしたが、手枕で、いわれるままにした。

「おかげんは?」

「今朝は、いくらか、よいようにおもわれます」

「どれ……」

身を横たえたままで、助太郎の脈をとる正元へ、

「なれど横山先生。私の生涯(しょうがい)は、あと三日ほどで終るのではないでしょうか?」

「………」

正元は沈黙し、重病の井関助太郎の勘のはたらきにおどろいた。正元も同じようにおもっていたからである。

「横山先生」

「む……」

「いまのうちに、はなしておきたいことがあります」

「………」

「これは、秋山先生のお耳へ直(じ)き直(じ)きに入れておかねばならぬことですが……ついに、いいそびれてしまいました。いえ、一つには、いま一度、おのれの躰(からだ)が元へ戻るとおもっていたのです。だが……だが、いまは寿命をさとりました」

今朝の助太郎は、気力をふるい起しているのか、よどみもなく横山正元へささやいた。

「秋山先生は、昨夜のうちに、お帰りになりましたな」

「さよう」

「そのときは、まだ、私は死ぬつもりはなかったのですが、先刻、目ざめまして、暁の光りが、その……向うの戸の間から、わずかに見えたとき、おのれの寿命が、はっきりと、わかりました。先生、長い間、ありがとうございました」

「…………」

「あまり、長くは語れませぬ。先ず、私の亡父・井関平左衛門のことから申しあげます。秋山先生へ、あなたから、おつたえ下され」

正元は、強く、うなずいて見せた。

一

横山正元が、昨夜の打ち合わせによって、小兵衛の隠宅へあらわれたのは五ツ半（午前九時）ごろであった。

この日は、朝からの快晴で、

「こんな日和は、一年に数えるほどしかないのう」

秋山小兵衛は、縁側へ出て、真青に晴れあがった空をながめつつ、

「なれど、今朝は……」

いいさして口を噤み、眉を寄せ、むずかしい顔つきになった。

「どうか、しなすったのですか？」

ちょうど、台所から出て来たおはるが縁側へ来て、

「あれ、怖い顔」

「何でもない」

「また、何処か、ぐあいが悪いのですか?」

「悪くない」

「でも……」

「妙な、胸さわぎがするのじゃ」

小兵衛ほどの剣客になると、勘のはたらきは、常人の想像を絶したところがある。

いつであったか、或る日の午後になって、急に、

「おはる。夕餉どきに、客がひとり来る。そのつもりで仕度をしておけ」

と、小兵衛がいったので、

「あれ、聞いていませんよ」

「あたり前だ。わしも聞いていない」

「だって?」

「いまな、牛堀九万之助さんが家を出て、こちらへ向っている」

「えっ、どうして、そんなことがわかるのですか?」

「ふと、頭の中に、牛堀さんの、その姿が浮かんできたのじゃ」

「……?」

おはるには、さっぱり、わからなかったが、夕暮れ近くなり、元鳥越に〔奥山念流〕の道場をかまえている旧知の牛堀九万之助が隠宅にあらわれたので、びっくりしたことがある。

その夜、小兵衛が小用に立ったとき、おはるが念のため、牛堀にたしかめると、

「さようですか、なるほど。秋山先生ほどのお人なれば、そうしたこともめずらしくはありますまい」

と、牛堀がこたえたそうな。

ゆえに、この朝も、おはるは小兵衛の胸さわぎを笑ってすますことができなかった。

「先生。胸さわぎって何のことですよう? いつまでも黙って、そんなに怖い顔をして……」

「気にするな、気にするな」

秋山小兵衛は、笑って、

「間もなく、横山正元さんがあらわれよう。わしも身仕度をしておこうか」

この日の小兵衛は、例の軽衫ふうの袴に短袖の小袖という姿だったが、何処か、いつもの小兵衛とはちがっていた。昨夜、関屋村の離れ屋から持って来た濃州・兼元の大刀を手にした様子が、おはるの目には、正常の小兵衛とはちがうように感じられた。

小兵衛は、草履をはき、縁側に腰をかけて、正元があらわれるのを待った。

「先生。今日は、何処へ行きなさるのですよう?」

「この近くじゃ」

「近くって、何処ですか？」

「しっこいのう」

「だって……」

するとと小兵衛が、おはるの手をとって撫でてやりながら、にっこりと笑って、

「案じるな。わしは大丈夫じゃ」

そういった声のやさしさに、われ知らず、おはるは泪ぐんでしまい、

「危いことは、いやですよう」

「よし、よし」

そこへ、横山正元が堤の道を庭先へ入って来た。

この朝の正元も、いつもとは、ちがっていた。

おはるも、そうおもったし、小兵衛は、さらに強く感じた。

「正元さん。井関助太郎の身に何か起ったのか？」

小兵衛の問いに、正元はかぶりを振って見せ、

「先生。そろそろ、まいりましょうか」

「よし」

小兵衛が、縁側から腰をあげ、あたりを見まわして、

「今日は、見張りがいないようじゃ。ちょうどよい」

塗笠を手に、堤の道をのぼって行った。

堤の道を南へ向って歩みつつ、秋山小兵衛は塗笠をかぶった。

「正元さん」

「は……」

「井関助太郎の命運尽き果てる日が、どうやら近くなったようじゃな」

たちまちに看破してしまった。

「そのことです」

「やはり……」

笠の縁へ手をかけた小兵衛が振り向き、横山正元の眼を見て、

「いつごろとおもわれる?」

「さよう……」

「二、三日というところか?」

「はい」

「わしも昨夜、助太郎を見て、そのようにおもった」

「さようでしたか。実は……」

「実は?」

「今朝、明け方のことでしたが、井関助太郎殿から、秋山先生への伝言をうけたまわりました」

「あの口の堅い、強情男めが、おぬしに、ようも伝言などを……」

「昨夜、秋山先生が関屋村へお見えになったときは、まだ、死ぬる覚悟ができていなかったそうです」

「ふうむ」

二人は肩をならべて、歩みはじめた。

「で、正元さん。助太郎は、どのような伝言を?」

「伝言のうちの大半は、すでに、秋山先生が、探り取られたことですが、助太郎殿は、それを知りませぬ」

「それで?」

「あとは……」

いいさした横山正元が、ちょっと、ためらった。

「正元さん。どうした?」

「このことは、いま、先生のお耳へ入れぬほうがよいとおもいます」

「何……?」

「後で、今日の事が済みました後に、申しあげます」

「そうか。正元さんが、そのようにいうのなら、あえて尋ねまい」

「相すみませぬ」

「何、正元さんがあやまることはない。ともあれ、いろいろと面倒をかけて、こちらこそ、相すまぬ」

「何を、おっしゃいますことか」

「いずれにせよ、もう少しの辛抱じゃ。たのみましたよ」

「おそれいります」

二

やがて、秋山小兵衛と横山正元(しょうげん)は、本所(ほんじょ)の小梅村へあらわれた。

「秋山先生。あの茶店で、お待ち下さい」

「あれが、まずい饅頭(まんじゅう)を出す茶店じゃな」

「さようです。しかし、さほどに、まずくはありません」

「うむ。いかに傘屋(かさや)の徳次郎でも、まずい饅頭を六つも食べられまい」

「では、行ってまいります」

「ひとりで大丈夫かな？ いや、正元さんの腕のほどは、よくわきまえてはいるが……」

「危いことにでもなりましたら、外へ逃げてまいります」

「さよう。ぜひとも、そうしてもらわぬと困る」

「いまは女房持ちとなりましたから、無茶はいたしません」

「よし。では、たのむ」

「はい」

横山正元は、皆川石見守・抱え屋敷の裏門へ向った。

秋山小兵衛は、例の茶店へ入り、いきなり心づけをたっぷりとはずみ、

「厠を貸してもらいたい」

茶店の老爺が、目をまるくして、

「厠を借りるのに、こんなに心づけを出してはいけねえ」

「迷惑かえ？」

「迷惑ではねえけんど、気味が悪いだよ」

「ふ、ふふ……なるほど、おもしろい爺さんだのう」

「何かいったかね？」

「いや、わしも、お前さんと同じように耳が遠い。自分の声もきこえぬのじゃ」

用をすませ、裏手へ出た小兵衛が、目の前にひろがっている田圃をながめて、

「ああ、今日は、よい日和じゃ。気分がよいなあ」

「何か、いったかね？」

「どうじゃ、ここで茶をのませてくれぬか」

「こんなところで？」

「あの田圃をながめていると、せいせいする。ぜひともたのむ」

「ようがすとも」

老爺が小さな縁台を裏手の草の上へ置いた。

「饅頭もたのむ」

「あれ、うちのまずい饅頭を知ってなさるかね?」

「うん、知っているとも」

このとき、横山正元は、皆川屋敷の裏門の扉を叩いている。

扉を開けたのは、中年の足軽であった。

「どなたさまで?」

「私は、服部宗全殿の使いの者にて、横山正元と申します」

正元は本当に町医者なのだから、その風体がぴたりと身についていた。

「本日、皆川様の御側御用人・木村房之助と申さるる御方が、この御屋敷にて、服部宗全と用談をなさるはずになっているとか……」

語る正元の顔へ、足軽が鋭い眼を射つけている。

「ところが宗全は急用にて、昨夜、江戸をはなれましたので、私がかわりにまいったと、御用人におつたえ願いたい」

「しばらく、お待ちを」

こういって、足軽は木立の中に消えて行った。

裏門の傍に、小さな門番小屋のようなものがあり、中は見えなかったが、たしかに人がいて、こちらを見ている気配を、正元は感じた。

抱え屋敷内の木立は深く、したたるような新緑の香りが、あたり一面にたちこめている。

間もなく、奥へ立ち去った足軽が、もどって来た。

「こちらへ」

と、足軽が先へ立った。

木立の中の道を、正元は後につづいた。

抱え屋敷であるから、さして建物もなく、屋敷の大屋根のようなものも目に入らなかった。

そして、何処となく、荒廃の感が強い邸内であった。

松蟬(まつせみ)の鳴き声が何処かできこえる。

眼の前が急にひらけた。

木立をぬけ出たのである。

彼方(かなた)に池があり、その辺(ほと)りに寄せ棟造りの東屋(あずまや)があり、中の腰掛けに瘦(や)せた、背丈の高い侍がかけていた。

足軽が、その侍へ何かささやき、引き返して来て、横山正元に、

「御用人様が、あちらに」

と、告げた。

うなずいた正元は、東屋へ歩み寄って、

「木村房之助様でございますか？」

うなずいた侍……すなわち、木村房之助が、

「服部宗全のかわりにまいったそうだが、何ぞ、証拠があるのか？」

低いが、横柄な口調でいった。

「あります」

正元は、ふところから袱紗に包んだ一通の手紙を取り出し、

「この手紙を持って行くように、宗全が申しました」

「そこもと、宗全とは、どのような関わり合いがあるのじゃ？」

「古くからの知友でございます」

「ふむ」

木村が手を出した。

正元は、東屋の中へ入り、手紙をわたした。

この手紙は、秋山小兵衛が服部宗全を誘拐したとき、ひとり宗全の家に居残り、小簞笥の中から見つけ出したものである。

木村用人は、手紙をあらためた。

横山正元が、

「おわかりでしょうな？」

「うむ」

「皆川様の御家老、浅野彦四郎様より、服部宗全へあてた御手紙でございます」

「うむ。わかった」

「宗全が申しますには、浅野様にたのまれた品を、本日、この御屋敷にて、おわたしするこ

とになっておりましたが、手筈が狂いまして、明後日に延びたそうでございます」

「明後日、な……」

「はい」

「約束を違えては困る」

「私は、使いの者にすぎませぬ」

「む……」

「宗全は、御約束の品を受け取るために、昨夜、江戸をはなれました」

「ふむ」

「宗全は、このように申しております。明後日の暮れ六ツ（午後六時）に、この御屋敷へ、かならず御約束の品を届けますが、その折、御家老の浅野様へ直かに、おわたしいたしたいと、かように……」

「御家老を、わざわざ此処へか？」

「はい」

「わしではならぬというのか？」

「なにぶん、大切な品ゆえ、直き直きにと申しました」

木村用人は、沈黙した。

その横顔には、まるで表情が浮かんでいない。細い眼も光りを消していた。

木村は、五十を一つ二つはこえているように見えた。髪にも白いものが少しまじっている。

ややあって、木村が、

「相わかった」

軽く、うなずいた。

「では明後日、間ちがいなく、御家老様に……」

「うむ。服部宗全に、つたえてもらいたい」

「何と？」

「こなたが宗全へ、わたすべきものは、すべてわたしてあることゆえ、宗全のほうも、今度は間ちがいなく、約束の品を持参するようにと、つたえてもらいたい。よろしいか？」

「うけたまわりました」

一礼して、横山正元は裏門の方へもどって行った。

何処からともなく、先刻の足軽があらわれ、先に立った。

正元は、無事に、皆川石見守・抱え屋敷の裏門から外へ出た。

田圃の彼方の、茶店・裏手から、これを望見した秋山小兵衛が、おもわず安堵（あんど）のためいきを洩（も）らして立ちあがった。

三

「服部宗全を、この上、つけあがらせてはならぬな」

つぶやいて、家老の浅野彦四郎が、さめてしまった茶を一口のんだ。

その前に、側用人・木村房之助が坐(すわ)っている。

ここは、牛込(うしごめ)・神楽坂(かぐらざか)上にある旗本・皆川石見守の本邸である。

旗本といっても上から下まである中に、皆川石見守のような九千石の大身(たいしん)ともなれば、すべてが大名同然といってよく、本邸も奥と表にわかれ、奥御殿では私生活がいとなまれて、表御殿は〔公務〕に使用される。

本邸は四千坪もあり、いま、家老と側用人が密談をしている場所は、表御殿のうちの〔用部屋〕と称する一間だ。

家老・浅野彦四郎は、九千石の大身旗本の家臣たちを束ねる〔長〕とも見えぬほどに若い。三十代の半(なか)ばに見える。

だが、浅野家は五代にわたり、皆川家の家老職をつとめてきたのであった。

「で、御家老。明後日は、いかがなされますか?」

「わしが、本所の抱え屋敷へ出向くということか?」

「さよう」

と、側用人の木村は、薄い胸をぐっと張って、小柄(こがら)な浅野を見下すような姿勢となった。

身分はちがうが、皆川屋敷における木村房之助の勢力はかなりのものなのだ。主人の石見守正凱(まさよし)の信頼も厚い。

木村は、先代の石見守の時代に近習(きんじゅ)として奉公にあがった者だが、めきめきと頭角をあらわし、現・石見守が当主となってから、側用人に引き上げられた男で、家来たちも奥向きの侍女なども、家老の浅野より用人の木村を重んじるかのように見える。

また、どの奉公人にも、木村の評判はよいとのことだ。

それに引きかえ、年齢が若いためか、何かにつけて背伸びをし、権柄ずくで事を運ぶ浅野は、怖がられていても、奉公人の敬意を受けられない。

そのことを、木村はよくわきまえていて、二人きりになると、どちらが家老なのだかわからぬような態度になるし、浅野は木村に圧倒されてしまう。家老として、何かの弱味を木村に押えられているかのようだ。

「御家老。明後日は、どのようにはからいましょうや?」

「おぬしは、どうおもう?」

「やはり、抱え屋敷へ、お運び願ったほうがよいと存じます」

「で、どうする?」

「服部宗全の手より、先ず、肝心の毒薬を受け取らねばなりませぬ」

「うむ」

「事は、急を要します。井関助太郎が豊松君を連れて出奔したからには、一時も早く……」

いいさした木村房之助の顔色が、緊張し、声も切迫して、

「宗全は、始末してしまわねばなりますまい」

「いずれにせよ、あの男を生かしておくわけにはまいらぬ」

「さよう」

「井関を匿っていた老人の始末は、まだ、つかぬのか？」

「はい。なかなかの者にて……」

「さほどに、強い……？」

「老人とはおもえませぬ」

「ふうむ」

「なれど、こちらにも腕利きの者が、ようやくに揃いました。もはや、大丈夫」

「さようか、よし」

「いずれにせよ、明後日は服部宗全の方をつけてしまわねばなりますまい。なれど彼奴も、あなどりがたき男にて……」

「腕利きの者を、抱え屋敷にあつめて、宗全を逃さぬよう」

「心得ました」

「なれど木村。毒薬を受け取ってからだ。わかっていような？」

木村は、こたえず、そのようなことは、いわれなくともわかっているというような薄笑いを浮かべたのみであった。

「増田好庵が、いま少し、心利きたる者なれば、服部宗全にたよらずともよかったのだが……」

いいさして、浅野家老が、いまいましげに唇を噛んだ。

増田好庵は、幕府の表御番医師をつとめ、皆川石見守の主治医でもある。

その好庵が、浅野や木村のおもうようにうごいてくれぬようだ。

しかも、迂闊に好庵へ手をのばしては危険なことを、この家老と側用人が、わきまえているらしい。

「毒薬が手に入ったなら、どのようにしたらよいかな?」

「御家老。私に、すべて、おまかせ下さい」

「大丈夫か?」

「はい」

「なれど、増田好庵が殿に薬を差しあげているのだぞ。その好庵の目を、くらますことができるのか?」

「おまかせ下さい」

「なれど……」

「おまかせ下さいと申している」

きめつけるようにいって、木村房之助が浅野家老を睨みつけ、

「明後日からは、一挙に事を運ぶつもりです。ゆえに、御家老も、しっかりと肚を決めていただきたい」

「む……」

「よろしいか? よろしゅうござるな?」

浅野家老は蒼ざめて、眼を伏せてしまった。

夕暮れどきが近づいている。

薄暗くなった用部屋に、二人とも、いつまでも押し黙っていた。

異変が起ったのは、ちょうど、そのころであったろう。

場所は、江戸城中においてである。

異変は、天下の異変であっても、一見、この事件とは関係のないことのようにおもわれるが、そうではない。

何よりも、秋山小兵衛の心境に大きな波紋がおよび、これまでの小兵衛の考えをがらりと変えてしまったからだ。

そして、秋山大治郎・三冬の夫妻には、別の意味で、深い衝撃をあたえたことになる。

四

この日の夕刻に近いころ、江戸城中において、老中、田沼意次の長男で、若年寄の要職にあった田沼山城守意知が一命におよぶ重傷を受けた。

田沼意知へ斬りつけたのは、佐野善左衛門という下級の幕臣である。

そのとき、田沼意知は退庁の時刻となったので、他の三人の若年寄と共に執務の部屋を出て、桔梗の間へ入って来た。

すると、次の間に控えていた御番をつとめる五人の侍の中の佐野善左衛門が、突如、名乗りをかけ、

「山城守殿、御免!!」

叫ぶや否(いな)や、抜き打ちに田沼意知へ斬りつけた。

だれも夢想だにしなかった凶行である。防ぐ間がなかった。

田沼意知は、肩先を深く斬られながらも、羽目の間とよばれる部屋へ逃げた。

「奸臣(かんしん)、待て!!」

佐野は、これを追って、意知の両股へ二ケ所の深手をあたえた。

この間、意知の同僚である三人の若年寄はもちろん、居合わせた新御番の侍たちも、あわてふためいて逃げるのに夢中となり、佐野を取り押えようともしなかったという。しなかったのではない、できなかったのだ。

咄嗟(とっさ)の異変に動転してしまい、恐怖におそわれ、我が身を庇(かば)うことのみしか念頭になかった。

肩を斬られた田沼意知が羽目の間へ逃げたとき、居合わせた人びと(少なくとも十人以上はいた)が佐野を取り押えていたなら、意知は死なずにすんだやも知れぬ。

この事実を、後で聞いた秋山小兵衛は、

「徳川の世も、これまでじゃ」

暗然となって、つぶやいた。

武士の時代は、終ったということなのだ。

徳川幕府が、明治維新によって崩壊するまでには、まだ八十年の歳月が残されていたけれども、小兵衛の眼には、

「潰れたも同然……」

に、映ったのであろう。

結局、佐野善左衛門を取り押えたのは、大目付をつとめる松平対馬守という七十歳の老人であった。

佐野の刃傷で、あたりは騒然となり、逃げ惑う侍たちの中を、松平対馬守が走り寄って来て、

「狼藉者!!」

佐野を叱咤するや、振り向いた佐野の側面へまわり込み、佐野の膝のあたりを蹴った。

そして、よろめく佐野を羽交締めにしたのである。

ここで、ようやく、佐野の手から刀を奪い取ることができた。

佐野善左衛門は、充分の手ごたえをおぼえていたらしく、以後は手向いをせず、人びとに取り囲まれ、連れ去られたそうな。

田沼意知は、三人の医師の応急手当を受けたが、三ケ所の傷は深く、おびただしい出血であった。

田沼意知は、出血多量のため、翌々日の明け方に息を引きとった。三十五歳である。

このことが公表されたのは四月二日だが、犯人の佐野善左衛門（二十八歳）は翌三日に切腹させられている。

元禄の浅野内匠頭の刃傷事件のときもそうだが、江戸城中における異変が巷にひろがるのは意外に早い。

秋山小兵衛は、この夜のうちに、駆けつけて来た四谷の弥七の口から、異変を知った。

小兵衛は鐘ケ淵の隠宅から、舟で大川（隅田川）をわたり、息・大治郎夫婦に、これを告げた。

田沼意知は、父・意次の継室（後妻）の子に生まれたが、大治郎の妻・三冬にとっては、腹ちがいの兄である。また、大治郎には義兄にあたる。

「このような事が起っては、御老中の身が案じられる。お前は、すぐさま神田橋の御屋敷へ行け」

と、小兵衛が大治郎に、

「そして、御家来衆の一人となって、田沼様の御身をお護りするがよい。わしのことはかまうな、大丈夫じゃ」

「心得ました」

「三冬どのも、御屋敷へ駆けつけるがよい。山城守様は御屋敷へ帰られたとのことゆえ、一命にかかわることはないとおもう」

このときは、小兵衛のみではなく、大治郎も三冬も、そうおもっていたのだ。

田沼主殿頭意次は、冷静そのものであった。

駆けつけて来た秋山大治郎に目通りをゆるし、

「みだりにさわいではならぬ」

「は……」

「秋山の父上に、つたえてもらいたい」

「……？」

「先夜、秋山先生と談合いたした事については、おもうようになされるがよい。意次も、そのように事をすすめていると、つたえてもらいたいのじゃ」

そこで大治郎は、鐘ケ淵へ駆けもどり、このことを告げてから、田沼屋敷へ引き返した。

「この危急のときに、田沼様が、そのようにおおせられたか」

「はい」

「もったいないことじゃ。それで、山城守様の様子は、どのようなぐあいなのだ？」

「よくわかりませんが、御用人の生島次郎太夫殿は、安堵の体に見受けられました」

「さようか。それならば先ず、安心じゃ」

三冬は、田沼屋敷の奥へ入って、立ちはたらいているらしい。

「父上。田沼様は、明日、御登城なさるそうです」

「この最中にか？」

「はい」

田沼意次は、息・意知の重傷を心配するよりも、

「若年寄という重い御役目についている身でありながら、軽き身分の者の手にかかり、城中において、無様な体をさらすとは、もってのほかのことじゃ。武門の恥ではないか」

と、屋敷へ担ぎ込まれて来た息・意知を叱ったそうな。

まことに申しわけのないことだというので、田沼意次は明日、登城して、将軍・家治に、息子の若年寄・辞任を願い出るというのだ。

「さようか。そのように、田沼様はおおせられたのか……」

大治郎の報告を聞き終えた秋山小兵衛の両眼は、得体の知れぬ光りを宿しはじめた。

父が、このような眼の色になるときは、その胸の中に異常な決意が固められつつあることを、大治郎はわきまえている。

「さ、大治郎。田沼様御屋敷へ引き返すがよい」

「心得ました。なれど……」

「わしのことは忘れろ。よいか、田沼様御登城の行き帰りの警固をたのむぞ」

「はい」

井関助太郎と豊松に関わる事件も切迫して来たらしく、

「大治郎。明後日は、お前の手を借りることになる。たのむぞ」

と、父からいわれている秋山大治郎であった。

それも気がかりで、正直のところ、大治郎としては、父・小兵衛の身辺を、

（はなれたくない……）

と、おもう。

しかし、田沼老中を警固せよと命じた父の言葉、その態度には、有無をいわせぬ厳しさがこもっていた。

大治郎は、田沼の家来ではないから、江戸城中へ入ることはできない。

だが、登城する田沼意次の駕籠傍に付きそうことはできる。

小兵衛にいわせると、

「おそらく、佐野某は、御老中を目ざしていたにちがいない。ところが、うまく行かぬものだから、御子息の山城守様へ刃傷におよんだのであろう」

こういうときには、何よりも登城、下城の往復が危い。

老中・田沼意次への非難は、日毎に烈しくなるばかりであった。

五

佐野善左衛門は、十七カ条から成る〔田沼罪状〕と称する斬奸状を、ふところにしていたという。

その全文を記すことは煩雑であるから、一部を抜粋して、つぎにのべておきたい。

一、私欲をほしいままにし、無道の行い多し。依怙贔屓をもって役人を立身させ、自党に引き入れる。
一、名家の者を差しおいて、倅の意知を若年寄に抜擢した。また、大奥に手を入れ、君公（将軍）を、けがしたてまつる。
一、運上おびただしく取り立て、諸民困窮す。金を貯わえ、利子を取って町人に貸しつける。

などというものだが、後年の学者の中には、この斬奸状は、

「偽作である」

という人もあって、佐野が刃傷におよんだ真の原因は、いまもってわからぬといってよい。

いずれにせよ、当時の老中・田沼意次は、幕府政治の最高権力者で、反対派の蠢動についての〔剣客商売〕シリーズにおいて、何度も書きのべてきた。

古今を問わず、政治テロ事件における真の原因は容易につかみにくい。

佐野善左衛門にしても、凶行後十日もたたぬうちに処刑されてしまっている。

元禄の浅野内匠頭の刃傷は、ろくに取り調べもなく、即日、切腹させられた。

浅野の場合は、時の将軍・徳川綱吉の悪政が、目にあまるものだったので、天下の同情は浅野にあつまった。今度も、佐野の刃傷を支持する風潮が強く、

「よくやった」

「佐野が刃傷をしてくれたので、天下の成り行きも、よくなるであろう」

江戸城中での、こうした声が、しだいに強くなってきたようだ。

しかし、町の落首には、つぎのようなものも詠まれた。

鉢植えて、梅が桜と咲く花を
たれ(誰)たきつけて、佐野に斬らせた

すなわち、佐野の背後には大きな黒幕が存在していて、佐野をたきつけ、または威し、誘導し、テロ行為に踏み切らせたという評判が、いつとはなしに、ひろがっていたことも事実だ。

田沼意次は、刃傷があった翌日に江戸城へ出仕し、息・意知の辞任を願い出たが、将軍・家治は、

「役目は、そのままになしおくよう。ゆるゆると養生をさせよ」

と、いった。

しかし、水戸藩主・徳川治保などは、

「息・山城守意知が重傷を負った、その血なまぐさき匂いのついた身をもって父親が登城するとは、もってのほかのことである。さほどに、老中職に執着するとは、あきれ果てたるものじゃ」

と、いったそうだし、

「そもそも、長男が死にかけているというに、平然と登城するというのは、いかに、田沼が人情薄き人物であるか、いまこそ、はっきりとわかった」

などと、武士たる身が、見当はずれなことを言いたてる者も出てきた。

刃傷があった翌二十五日の午後になると、田沼意知の容態の悪化が、だれの目にもあきらかになった。

輸血という治療手段が、当時の医術にはなかったのだから、どうしようもない。

田沼意次は、御城から退出して来て、息子の病間へあらわれ、しばらくは、昏睡中の意知の顔を見つめていたが、ややあって、ほとんど声にならぬようなつぶやきを洩らした。

「小鼻が、落ちた……」

と、つぶやいたのである。

病人が衰弱して、死がせまったときは、小鼻の肉がげっそりと落ちるといわれている。

田沼老中は、このとき、息子の死を覚悟したのであろう。

枕頭に付きそっていた御番医師・天野良順は、田沼の唇がうごいたのを見て、膝を寄せ、

「は?」

尋ねると、田沼は「何でもない」というように、軽くかぶりを振って立ちあがり、病間を去った。

同じころ……。

関屋村の、おはるの実家でも、井関助太郎の容態が悪化していた。

助太郎も、昏睡状態であった。

秋山小兵衛は、すでに、井関助太郎が最後の気力を奮い起し、横山正元に、

「秋山先生へ、おつたえ下され」

打ちあけた遺言を耳にしている。

その内容は、小兵衛にとって、実に意外なことで、さすがの小兵衛も、おどろきの色を隠せなかったけれども、いまは、その事に心を向けている余裕がなかった。

井関助太郎に関わる事件は、明日に絶頂の時期を迎えようとしているのだ。

夜に入ってから関屋村へあらわれた秋山小兵衛は、横山正元と杉原秀を、外へさそい出した。

豊松は、助太郎の枕もとに坐って、身じろぎもせず、痩せおとろえ、息づかいが荒くなった助太郎の顔に見入っている。

「二人とも、よく聞いてもらいたい」

外に出ていた縁台に腰をかけて、小兵衛が、

「いまも、はなしたとおり、田沼様の御家が一大事となった。そこで、大治郎夫婦をさし向けたが、当分は帰れまい。まして、明日の用にはたたぬ。そのかわりに正元さんに手つだってもらおうとおもったが、助太郎の身もこうなったからには目をはなせぬ。これは何としても正元さんについていてもらわねばならぬ」

正元は何かいいかけ、やめた。小兵衛のいうとおりだからである。

「そこで、明日は、秀どのに助けてもらわねばならぬことになった」

「はい」

杉原秀は、落ちつきはらい、

「秋山先生。何なりと、おおせつけ下さいませ」

「かたじけない。明日は、わしがおもうように事が運ぶか、どうか……それはわからぬが、こうなっては、やってみるよりほかに仕方があるまい」

「さようですな。ときに先生、鐘ケ淵のお住居を見張っているやつどもが、まだ、おりますか?」

「先刻も、ちらと見えたが、なに、この家に助太郎がいることは、まだ気づいてはいまい。気づいていれば、すぐにも無頼浪人どもをあつめて打ち込んで来よう。彼奴(きゃつ)らが、いま、わしを襲って来ぬのは、ひとえに、わしの後を尾(つ)けて、助太郎の居所を突きとめたいがためだとおもう」

「なるほど」

「気がかりなのは、おはるのことじゃ。悪党どもが、おはるに手をのばすと困る。それで、おはるは先刻、明るいうちに、小川宗哲(そうてつ)先生の家へ、あずけておいた」

「それは、よろしゅうございました」

「秋山先生。わたくしは、何をすればよいのでございましょう?」

「まだ、そこまでは考えておらぬ。わしと共に鐘ケ淵の家へ来てもらいたい。又六も待っているはずじゃ」

「承知いたしました」

杉原秀は、身仕度をしに納屋の中へ入って行った。

月のない夜である。前庭の木立の彼方で、しきりに犬の鳴き声がしていた。

日中の日ざしは、もはや夏のものといってよいのだが、夜気は冷えていた。梅雨へ入る前の、この季節が病人によくないことは秋山小兵衛もわきまえている。

二人とも無言で佇んでいたが、そのうちに、横山正元は、たまりかねたかのように、

「秋山先生。この上は、私が助太郎殿の側についていようがいまいが、同じことだとおもいます。明日は、私が御供いたします」

「ありがたいことだが……そうもなるまい。正元さんがいるからには、側についていてやらぬと……」

「先生。又六はさておき、秀どの一人にて、本所の皆川屋敷へおもむかれますか？」

「そういうことになる」

「ですが……」

「行き当りばったり、というやつじゃ。わしは、むかしから、こうしたときになると、いつもそうなのだ。人の行手には、何が起るか知れたものではない。こうしよう、ああしようと、あらかじめ思案をするのは、却ってよくない。だが……」

「おそらく、この事件の結果は、井関助太郎の願いのままにはなるまい」

「は?」

「と、申されますのは?」

「わしは、今度の田沼様の変事を聞いて、つくづく、侍の世界に愛想がつきてしまった。侍が天下を牛耳るのは、いま少しの間だけじゃ。侍の世は、もう終ったといってよいのじゃ」

仕度をした杉原秀が納屋から出て来た。

秀と共に立ち去ろうとした小兵衛が、ふと思い出したように、

「あ、そうじゃ」

横山正元の傍へ来て、何事か、ささやき、

「では、たのむぞ、正元さん」

「わかりました。先生。お気をつけられまして……」

小兵衛は素直に、

「はい。充分に気をつけることにしましょう」

あらたまって、語調も、ていねいにいったのが、正元には何か不吉な感じがしたのである。

夜空の雲間に見えていた星がひとつ、尾を引いて流れ飛んだ。

卯の花腐し

翌朝、といっても、まだ暗いうちに、本所・小梅村の皆川石見守・抱え屋敷（別邸）の裏門から三三五五と、剣客ふうの浪人たちが邸内へ吸い込まれて行った。

前夜から、皆川屋敷を見張っていた傘屋の徳次郎が隠宅へ駆けつけ、秋山小兵衛に、

「合わせて二十五人ほどでございました」

と、告げたのは、五ツ半（午前九時）ごろであったろう。

この朝、小兵衛が牀をはなれたのは五ツ（午前八時）少し前であった。

小兵衛は先ず、湯殿へ入って何杯も水を浴び、出て来ると、新しい下着を身につけた。

これまでに何度も経験した真剣勝負の日の慣例といってよい。

朝餉は、杉原秀が仕度をした。

白粥である。

「うむ。何よりじゃ」

秋山小兵衛が、満足そうにうなずいた。

秀は、すぐれた剣客であった亡父・左内の血を受け、一刀流を遣うし、根岸流・手裏剣の

名手だ。

ゆえに、真剣勝負の日の腹ごしらえについては、よくわきまえている。

秀がつくった白粥は、おはるのそれよりも薄目で、そのかわり、塩がきいていた。

さらさらと、粥を腹におさめた小兵衛が、

「秀どの。よろしいか、昨夜も申したとおり、手出しは、かまえて無用。いまあらためて念を入れておく」

「はい。心得ましてございます」

そうこたえた秀だが、昨夜おそく、小兵衛が寝入ってから、密かに革袋の中の〔蹄〕を点検している。

〔蹄〕は、根岸流の手裏剣の一種なのだが、形態は手裏剣のようなものではなく、小さな石粒のようなものだ。

人の一命を奪うほどのものではないが、この鉄片が躰の急所へ喰い込んだなら、とても闘えるものではない。

このたびの事件によって、秀が小兵衛の許へ駆けつけて来たとき、革袋へ入れた〔蹄〕は十二個であった。

けれども、秋山小兵衛は、その〔蹄〕の使用さえ禁じてしまった。

朝になって、傘徳の報告を聞いたとき、小兵衛は、

「よいか、徳次郎。このことは、台所にいる秀どのに洩らしてはならぬぞ」

「へえ。ですが大先生、浪人どもは二十人の余も……」

「わかった、わかった」

「それを、あの、大先生がおひとりで?」

小兵衛が、にやりとして、

「危いとおもうのかえ? そうだろう?」

「いえ、そんな……そんなわけじゃあございませんが……」

いいさした徳次郎が、

「ええ、もう、うちの親分は、こんなときに、どうして顔を見せねえのかなあ」

「弥七は、お上の御用でいそがしいのじゃ。何とかいう人殺しを、いま一息のところへ追い詰めたと申すではないか。そんなときに、わしの手伝いをさせることができようか」

「で、でも……」

「それに、弥七の片腕ともいうべきお前を、わしが、こうして借り受けている。いまの弥七は躰が三つも四つも欲しいところだろう。ちがうかえ?」

「ち、ち、ち……」

「ま、落ちつけ。ついでのことに、今日いちにちは手伝ってもらおう。たのむぞ」

「何なりと、おっしゃって下さいまし」

「その前に腹ごしらえをして、汗をながし、さっぱりとしてくるがよい」

そのころ、鰻売りの又六を乗せた町駕籠が、両国橋を西から東へわたりつつあった。

「急いでおくんなさいよ、急いで」

駕籠の中から又六が、駕籠舁きに大声を投げた。

この日の早朝、又六が悪徳医者・服部宗全を見張っている納屋へ、松崎助右衛門があらわれ、

「又六とやら、見張りを替ってつかわそう」

「いえ、大丈夫でございます」

「だが、秋山小兵衛殿は、何かと手不足で困っていよう。そうではないか？」

「はい。それはもう……」

「そろそろ、事が煮詰まってくるころじゃ。さ、これから鐘ケ淵へ駆けつけるがよい。わしが、いつも使っている駕籠屋が八幡さま（千駄ケ谷八幡宮）の門前にある。そこへ行き、わしの名を告げて駕籠をたのむがよい」

「もったいない。この二本の足で駆けつけます」

「このさい、さようなことを申すな。早ければ早いほどよいし……それに、見よ。この医者めは、疲れ果てて身うごきもならぬわ。見張りなどせずとも、もはや逃げる気力さえ失なってしまったようじゃ」

なるほど、手足を縛されたまま、服部宗全は筵の上で死んだように眠りこけていた。

一

杉原秀をともなった秋山小兵衛が、鐘ケ淵の隠宅を出たのは、その日の昼近いころになってからだ。

小兵衛は、例によって短袖の着物に、軽衫ふうの袴をつけ、大小を腰に、塗笠をかぶっている。

秀は、黒髪を束ねて背へまわし、農婦のような姿であった。

二人が歩む後から、菅笠をかぶった鰻売りの又六が、ゆっくりと歩んでいる。

風が出てきた。妙に冷めたい風であった。

朝のうちは晴れていた空に、灰色の雲足が速くなった。

三人は、押し黙り、ついに一言も口をきかぬまま、本所・小梅村へ着いた。

いつものように、このあたりは人通りも少ない。

皆川石見守屋敷は、鬱蒼たる新緑の木立の中に、ひっそりとしずまり返っている。

その門前まで来ると、秋山小兵衛は背後から来る又六をさしまねき、

「秀どの。又六。では先刻、打ち合わせたとおりに、たのむ」

こういって、二人の顔を見まわした。

傘屋の徳次郎が何処からともなくあらわれ、近づいて来た。

そのころ……。

関屋村の納屋に病臥している井関助太郎の呼吸が荒くなってきた。

はっと、横山正元が助太郎の手を取って、脈をとる。

その様子が徒事でないのに気づいたおはるは、傍へ来て、

「正元先生。いけませんか？」

正元が、うなずいた。

「ではあの、小川宗哲先生に来ていただきましょうか？」

正元は、かぶりを振った。

一方、皆川屋敷では……。

すでに到着していた家老の浅野彦四郎が側用人・木村房之助へ、

「そろそろ、服部宗全があらわれるころだな」

「さよう」

「手配は、よいか？」

「合わせて二十五名、庭の木立の中に潜ませてあります」

「外へ洩れてはならぬぞ」

そのようなことは、いわれなくともわかっているといわんばかりに、木村が微笑を浮かべ、

「これほどに、ひろい屋敷内で、人の叫び声が起きたとしても外へはきこえませぬよ」

「むう……」

「御家老は此処にいて、宗全が来るまで、うごかれてはなりません。よろしいか？」

「う……」

「おわかりか？」

「う、わかっている」

いま、二人が向い合って坐っている場所は、抱え屋敷の奥に設けられた建物の中の書院で、奥庭に面している。

抱え屋敷の建物だけに、さして大きなものでなく、神楽坂・本邸の三分の一ほどにもならないだろう。

奥庭にも、大きな池があり、満々と水をたたえていた。

この池は、屋敷の外の北面をながれる源森川から水を引き入れたもので、裏門に近い、東屋がある池にも通じていた。

奥庭の池は水深も深く、ひろいので、中央に板橋を架け、対岸へ渡れるようにしてある。

対岸は、木立が深い。

このとき、奥庭へ入って来た中年の足軽が膝を折って、木村用人に一礼した。この前に、横山正元を木村の前へ案内した足軽である。

「おお、三之助。宗全がまいったか？」

「いえ、あの……」

「どうした？」

「女がまいりました」

「お、ん、な……？」

家老と用人は、顔を見合わせた。

「服部宗全の女房もよと名乗っておりますが……」

「何、宗全の女房……」

「粗末な着物を身につけておりますが、人品がよろしゅうございます」

「ふうむ」

「いかがいたしましょう、木村様」

「で、どのように申しているのだ？」

「夫・宗全のかわりに、届け物を持ってまいりましたと、かように申しております」

「届け物だと？」

「はい」

「その女は、一人(いちにん)にてまいったのか？」

「さようでございます」

「よし」

うなずいた木村房之助が独断で、

「これへ連れてまいれ」

と、いった。

足軽の三之助が裏門の方へ去るのを見送って、浅野彦四郎が、

「宗全に女房がいたのか？」

「さて……」

「届け物とは、例の毒薬なのか？」

「わかりませんな」

「宗全め、薬をわたした後の事が気にかかって、女房にもたせてよこしたのか……」

「いずれにせよ、万事、私におまかせ下さい」

「なれど……」

いいかける浅野家老を押えつけるかのように、木村用人が、

「こうなれば、もはや後へは引けませぬ。万事、私がはからいます」

「…………」

「私が、はからうと申している」

「う……」

「おわかりか。おわかりでござるか？」

「むう……わかった」

服部宗全の妻と名乗り、皆川屋敷の裏門から案内を請うたのは、ほかならぬ杉原秀であった。

そのとき、足軽・三之助は念のために、裏門の扉を少し開け、あたりを見まわしたが、女

のほかにはだれもいなかった。

三之助が裏門へもどって来て、いったん閉めておいた扉を開け、

「御用人様がお目にかかるそうだ。入るがよい」

「大切な品を、夫からあずかっております。御家老様もおいででございましょうな？」

「ああ、おいでなさる。さ、入りなさい」

そういった三之助の腕を、秀がぱっとつかんだ。

「あ、何をする」

秀は無言で、三之助を裏門の外へ引っ張り出した。

女といっても、秀は徒の女ではない。

秋山大治郎の妻・三冬が、かつてはそうであったように、一流の女武芸者なのである。

あっという間に、外の道へ引き摺り出された三之助が、

「畜生め!!」

叫んで、ようやく、秀の手を振りほどき、脇差の柄へ手をかけると、つい先刻までは、だれもいなかった道へ、いつの間にあらわれたのか、塗笠をかぶった小柄な老人がひとり立っていて、これが突風のように走り寄って来た。秋山小兵衛だ。

小兵衛が突き出した拳は、三之助の胸下の急所を強く撃った。

「う、うう……」

くずれるように気を失なった三之助にはかまわず、秀は裏門の中へ飛び込んだ。

三之助の叫び声がきこえたのかして、門番小屋に詰めていた別の足軽と小者が、

「何かあったようです」

「うん。三之助はどうした？」

飛び出して来る前へ立ちふさがった杉原秀の躰が左右にうごいたかと見る間に、

「あっ……」

「むうん……」

二人とも当身をくらって気絶してしまった。

そこへ、小兵衛と又六、傘屋の徳次郎が失神した三之助を抱えて入って来た。

「又六。その門を閉めておけ」

「はい」

「徳次郎。この三人に猿ぐつわをかませ、手足を縛ってしまえ」

「ようござんす」

猿ぐつわも、細引きの縄も用意してきた。

「秋山先生」

「秀どの、御苦労。だれにも見られてはいない」

二

間もなく、杉原秀が、案内もなしに奥庭の一隅(いちぐう)へあらわれた。

「あれか?」

「さよう」

書院にいる浅野家老と木村用人は、別に、これを怪しまなかった。

二人の視角へ、女の姿が入る前に、案内の足軽は裏門へ引き返して行ったとおもい込んでいるのだ。

「毒薬を受け取ったあとで、あの女を捕えてしまおう。そして、あらためて宗全を呼び出すのだ。それでないと、逃げられてしまうおそれがある」

浅野彦四郎が、つぶやくようにいった。

木村は沈黙したままだ。

秀は、二人の姿が見える縁先の近くまで来た。

芝生の上に膝を折り、二人へ頭を下げた、秀は小さな袱紗包(ふくさづつ)みを、大事そうに持っている。

「服部宗全が妻、もよと申しまする。皆川石見守(いわみのかみ)様の御家老・浅野彦四郎様へ、直(じ)き直(じ)きに、この品をおわたし申しあげるよう、夫・宗全よりいいつかりましてございます」

落ちつきはらった秀が、声に澱(よど)みもなくいった。

浅野と木村は顔を見合わせ、うなずき合った。

女に、疑わしいところがないと看て取ったのであろうか、浅野家老が、

「これへ」

秀に声をかけた。

秀が縁先へ近づいて来ると、木村が、

「宗全は、何故、まいらぬのか？」

「はい。旅先で、急に体をこわし、高熱を発しましてございます」

「ふうむ」

「もよとやら、その品をこれへ」

と、いったのは浅野家老である。

「はい。中に、宗全の手紙が入っておりまする」

「そなたは、この品が何か、存じておるか？」

「存じませぬ」

うなずいた浅野彦四郎が腰をあげ、畳敷きの縁側へ出て来て、手を出した。品物をよこせというのである。

秀は、縁側の外から腰をのばし、袱紗包みを差し出した。

浅野家老も、これを受け取ろうとして右手を出す……その腕首を、秀がむずとつかんだ。

「な、何をする!!」

叫ぶ浅野の腕を、ぐいと引っ張ると、浅野は、のめり込むようにして、庭先へ落ちた。

「あっ……」

意外な事におどろいた木村用人が腰を浮かせたとき、秀は、庭へ落ち、あわてて立ちあがりかけた浅野家老の背中をどーんと突きやった。

「ぶ、無礼な……」

突き飛ばされて、よろめいた浅野が、腰の小刀の柄へ手をかけて振り向きかけると、何処からあらわれたものか、いつの間にか小柄な老人が目の前にいて、

「この不忠者め」

浅野を叱りつけた。秋山小兵衛だ。

「おのれは何者?」

こたえるかわりに、小兵衛が、いきなり、濃州・兼元の大刀を抜き打った。

「うわぁ……」

大身旗本の家老をつとめる浅野彦四郎だが、真剣を抜いたことなど、一度もない。

何処を斬られたものか、浅野は血を振り撒きつつ、あわてふためいて書院傍の通路へ逃げ込んだ。

「出合え!!」

縁側へ飛び出し、大声をあげた木村房之助へ、小兵衛が走り寄って、物もいわずに木村の脚を薙ぎはらった。

「ぎゃあっ……」

木村の絶叫があがる。

むりもない。左脚を膝の下から切断されたのだ。

木立に隠れ潜んでいた剣客浪人どもが、いっせいに飛び出して来たのは、このときである。

書院の奥からも三人、これは皆川石見守の家来らしかったが、いずれも、浅野・木村の腹心の者であろう、大刀を引き抜いて走り出て来た。

「秀どの。後は見物するがよい」

声をかけておいて、小兵衛が秀と入れかわり、書院の縁側へ飛びあがった。

「曲者(くせもの)!!」

「出合え、出合え」

わめく三人へ近寄った小兵衛の大刀が光ったかとおもうと、

「わっ……」

「きゃっ……」

三人とも、鼻だの耳だの、手指だのを切り落され、その上、刃向う気力も失(う)せ、奥の間へ、よろめき逃げた。

この間に、庭先から書院へ駆けあがって来た浪人剣客が、

「たあっ!!」

すくい斬りに、小兵衛へ斬ってかかった。

すいと一歩、退って片膝をついた小兵衛の兼元が一閃すると、こやつもまた、踏み込んだ右の脛を切断され、大刀を抛り落して横ざまに倒れる。

秀は、素早く、何処かへ姿を隠してしまった。

「あっ……」

「鐘ケ淵の、あの爺いだ」

と、浪人どもの中には、小兵衛に懲しめられた者もいたが、何しろ、二十余名の味方がいるのだから、

「今度こそは……」

小兵衛を殪せるとおもったのかして、ゆっくりと縁先へ出て来た小兵衛を迎え、芝生の上へ詰めかけ、白刃を向けた。

「そうか、ひろい庭のほうがよいか。では、そうしようかのう」

いうや、庭へ飛び下りざまに、小兵衛が無造作に大刀を打ち振った。

「むぅん……」

また一人、こやつは左の腕を切られ、切り落された左手が飛んで、庭の芝生へ落ちた。

「それっ!!」

「包み込めい」

浪人どもが、小兵衛を押し包んだ。

これを、庭の椎の木の上から見ていた傘屋の徳次郎は、後に、親分の四谷の弥七へ、こう

語った。

「いやもう、凄いの何の……浪人どもが叫び声をあげて、大先生へ斬りかかったときには、いかに何でも助からねえとおもいました。やつらの刀がピカピカ光って、大先生の小さな躰が、やつらの中に埋まってしまったような……へえ、もう、ほんとうに、どうなることかとおもいましたがね。よく見ると、大先生の躰が、やつらの刀の中で、ふらりふらり、ゆらりゆらりとうごいているんですよ、へい」

「ふらり、ふらりだと……」

「親分、そうなのでござんす。そうとしか、いいようがねえ」

そのころ、関屋村の納屋の内では、井関助太郎が最後の期を迎えようとしている。

おはるの父母や兄夫婦も、納屋へ詰めかけていた。

豊松は助太郎の右手を、しっかりとつかみ、泪をためた眼で、窶れ果てた助太郎の顔を見つめ、

「助太郎、助太郎」

と、叫んだ。

三

秋山小兵衛が、庭の大池の、板橋のたもとまで身を移し、兼元の大刀を正眼につけたとき、

六人の浪人どもが芝生に倒れ、のたうちまわっている。

彼らは、いずれも死んではいない。

手首を切り落されるとか、股を斬られたり、脚を、腕を斬られ、小兵衛の一刀に重傷を受け、戦闘不能となってしまったのだ。

余所目には、残る十数名が、池の水際へ小兵衛を追い詰めたかのように見える。

と……。

秋山小兵衛が後ろ歩みに、池の板橋へ身を移しはじめた。

板橋は巾四尺で、此処へ小兵衛が身を移してしまうと、浪人どもが包囲できなくなってしまう。

「まわれ、まわれっ!!」

浪人の中から、声があがった。

五人の浪人が、大池の岸辺を走り出し、対岸の板橋のたもとへ向う。

これを横眼で見て、小兵衛が微かに笑い、尚も後ろ歩みに板橋をわたりはじめる。

さすがに、小兵衛の顔色は鉛色に変じていたが、さして息をはずませている様子には見えなかった。

「うぬ!!」

たまりかねたように、浪人の一人が板橋を走りわたり、身を沈めざま、小兵衛の脚を薙ぎはらってきた。

ふわりと、小兵衛の躰が宙に浮かび、その浪人の肩口のあたりを飛びこえ、浪人の背後へまわったかとおもうと、今度は、橋のたもとに白刃をつらねていた浪人どもの中へ、われから駆け込んだ。おもってもみなかったことではある。小兵衛の逆襲、奇襲といってよい。

「鋭!!」

はじめて、小兵衛の口から、すさまじい気合声がほとばしって、その躰が縦横にうごいたとき、四人の浪人がよろめいている。

その中の一人の手首が大刀をつかんだまま、大きく飛んで池の中へ落ちた。

同時に小兵衛は、ふたたび、板橋を走りわたり、いましも、こちらへ引き返そうとした浪人の額を飛びあがるようにして浅く斬った。

「うわ……」

浪人が横ざまに池へ落ち、水飛沫(みずしぶき)をあげた。

そのとき、対岸へまわった浪人どものうち半分が、板橋をわたりつつあった。

小兵衛は、それに向い、われから突きすすみ、たちまち、二人を斬って、池の中へ落した。

「引けい!!」

だれかが、叫んだ。

かまわず、小兵衛は板橋をわたり切って、兼元の大刀を揮(ふる)った。

「あっ……」

また一人、手首を切断されて倒れる。

「いかん、引け!!」

「逃げろ」

残る浪人たちは、ここに至って、ついに勝ち目がないことを悟ったわけだが、遅すぎた。

しかし、このままでは一人残らず、小兵衛の一刀に倒れることは必定であった。

無頼浪人どもの逃げ足は速い。

傷を負った者をふくめて、いずれも、おもいおもいに木立の中へ消えてしまった。

秋山小兵衛は、懐紙をもって濃州・兼元の刀身をぬぐい、さらに用意の布を出して拭き清めつつ、凝と刀身をあらため、満足そうに、にんまりと笑ったのである。

彼方の木立に潜み、その姿を密かに見つめている男が二人。一人は船頭の長吉、一人は剣客浪人・浅井源十郎だ。

「せ、先生。浅井先生」

「何だ」

「あの爺いを、早く、早く……」

「わかっている」

「ぐずぐずしていると、消えてしめえますぜ」

「ふむ」

「先生。こいつは、あっしどもの掟だ。先生には、あの爺いを斬るだけの金をわたしてあるのですぜ」

「わかっている、わかっている」

「わかっているなら、早く斬っておしまいなせえ」

「うるさいやつだ。これ長吉、前に申したはずだ。あの爺いを斬るときは、一騎打ちだとな」

「だから、もう一騎打ちじゃあござんせんか。意気地のねえ野郎どもは、みんな逃げてしめえましたぜ。ねえ、先生。先生が、あの爺いを片づけてくれねえと、あっしは上のほうへ顔向けができねえ。それは先生も、よく、わかっていなさるはずだ」

「ふうん……」

浅井源十郎の口元に、気味の悪い笑いが浮かんだ。

「先生。な、何が可笑しいので？」

「ふと、おもいついたことがあってな」

「な、何を？」

「爺いを斬る前に、小手調べをなあ」

「何ですって？」

突然、浅井が腰をひねって、抜き打った。

左の首すじを深々と切り割られた長吉の悲鳴が起った。

その長吉の悲鳴はもちろんのこと、屋敷内の、あれだけの斬り合いも、屋敷の外へは洩れなかったようだ。

四

これは、又六や傘屋の徳次郎が気をつけていて、小兵衛に告げたのだから、間ちがいない。たとえ、叫び声の一つや二つ、洩れきこえたとしても、人通りの少ない道を行く人の関心をよばなかったにちがいない。

書院から庭にかけて、小兵衛の一刀に切り落された浪人どもの手、脚、指などが散乱し、血の匂いがたちこめていたのは、いうまでもない。

小兵衛も、避けきれなかった返り血を浴びたが、手傷ひとつ負わなかった。

「さて、引きあげようか」

秋山小兵衛は、杉原秀に、

「よくやってくれた。おかげさまで、万事、うまく運んだようじゃ」

「それにしても先生。あれだけの敵を相手にようも……」

秀は、呆れ顔になって、

「おそれいりましてございます」

「蹄は無用だったのう」

「わしは、自分が殺られるより先に、刀がもたぬとおもった」

「はい」

「はあ……」

「なれば、一人も殺さなかった。手、指、脚と、立ち向って来ることができぬほどに傷を負わせただけで、なればこそ、この兼元も最後まで、はたらいてくれたのじゃ」

語る小兵衛の顔に、ようやく、血の色がよみがえってきた。

「ぶしつけに申しあげまする。剣の道も、あれほどまでに到達できるものかと、おどろきましてございます」

「わしにはわからぬ。無我夢中で斬り合ったまでじゃ」

裏門へ近づきつつ、小兵衛が、

「わしも、今日のような斬り合いは初めてのことだ。もはや、二度とあるまい」

こういったとき、雨が落ちてきた。

「ふしぎじゃ。さして、疲れてもいないようだ」

徳次郎と又六は、驚嘆のあまり、声も出ない。

四人が道へ出たとき、堰を切ったような土砂降りとなった。

「ちょうどよい。返り血を洗いながしてくれる」

小兵衛は、激しい雨の中を、ゆったりと歩む。

この驟雨は、すぐに熄んだ。

源森橋をわたり、大川（隅田川）沿いの道を四人が北へ向い、弘福寺の門前を過ぎるころには、速い雲足の間から日が差してきた。

雨やどりをしていたらしい人びとが、辺りの茶店や寺の中から堤の道へ、わらわらとあらわれた。

「あ、横山先生だ」

と、小兵衛の後ろにいた傘屋の徳次郎が声をあげた。

なるほど、堤の道の彼方から、大刀を腰にした横山正元が雨に濡れたまま、裾を端折って駆けて来る。

「ああっ……」

小兵衛を見出した正元が、よろこびの声をあげ、

「せ、先生。御無事でしたか」

「大丈夫じゃ。正元さんが、こうして駆けつけて来てくれたところを見ると、井関助太郎は事切れたようじゃな」

「は。残念ながら……」

「よう看取ってくれた。礼を申す」

小兵衛が頭を下げ、

「これで、父・井関平左衛門の秘密を、助太郎はふところへ抱いたまま、冥土へ運んでしまったか……」

「はい」

その秘密の、ほんの一部は、横山正元を通じて小兵衛の耳へ入っていた。

あの日の未明、井関助太郎は、苦しい息の下から、

「秋山先生へ、おつたえ願いたい」

と、正元へ亡父の秘密の一端を打ちあけている。

なんと、それは、井関平左衛門が、かつては西国から上方へかけて跳梁した、盗賊一味の首領だったということである。

十六年前の或る日、小兵衛を初めて訪問した井関助太郎を取り囲んだ三人の怪しげな侍は、その盗賊一味の者だそうな。

わかっているのは、そこまでで、もし、それが本当なら、井関平左衛門ほどの人物が、何故、盗賊となったのか、そして、いかなる事情のもとに足を洗い、一剣客として生きるようになったのか、その辺の事情はすべて不明だ。死んだ助太郎も、果して、どのあたりまで知っていたか……。

そして、

(亡師・辻平右衛門先生は、このことを知っておられたのか、どうか……?)

このことであった。

何といっても、辻平右衛門の腹ちがいの妹八重は、井関平左衛門と夫婦になり、助太郎を生んでいるのだ。

平左衛門は、石見・津和野の浪人で、

「山村源助」

と、小兵衛に名乗ったが、本当なのだろうか。

(いまさら、どのように、おもいをめぐらしたところで無駄なことじゃ)

さすがの小兵衛も、あきらめるよりほかはない。

それにつけても、おもい起されるのは、辻平右衛門が、たまさかに口にした言葉だ。

「なまじ、口にのぼせると味気なくなることもあり、却って、肝要の事が通ぜぬ場合もある。言葉と申すものは不自由なものよ」

秋山小兵衛は、鐘ケ淵の隠宅へ立ち寄って躰を洗い、着替えをすませてから、関屋村へおもむいた。

傘屋の徳次郎は四谷の弥七の許へ行き、秀と又六は、小兵衛と同行した。

横山正元は、心配しているおはるを安心させるため、一足先に関屋村へ駆けもどって行った。

井関助太郎の死顔は、実に安らかなものであった。

死の静謐は、いかなる人の顔にも平穏の安息をあたえるものなのであろうか。

「なれど助太郎……」

と、小兵衛は、助太郎の遺体へ合掌しながら、胸の内でよびかけた。

「残念ながら、わしは、お前の望みをかなえてやることができなくなった。豊松どのは皆川屋敷へ返さぬ。山城屋へもどすことにしたぞ」

五

九千石の大身旗本・皆川石見守正凱の長男・万之助が急死したのは、去年の夏であったという。

石見守は、万之助のほかに、女子ふたりをもうけていたが、これは、いずれも他家へ嫁いでいる。

因にいうと、この三人の子は、いずれも石見守・正夫人栄子が産んだ子なのである。

ところが、石見守には、もう一人の男子がいたのだ。正夫人の子ではなく、石見守が侍女の節に手をつけてもうけた子で、これがすなわち、豊松ということになる。

お節は、麹町八丁目の老舗〔山城屋文吾〕の次女に生まれ、行儀見習いのため、皆川屋敷へ侍女奉公にあがっていたのだ。

ゆえに、秋山小兵衛が山城屋を訪れた折、主人の文吾へ、

「山城屋どの、あなたの可愛い孫……」

と、いったのだ。

小兵衛は、服部宗全を拷問にかけ、皆川家の内情のあらましを知ったのである。

お節は豊松を産むや、我子ともども、実家へ帰された。

これは正夫人の栄子の厳命によるものであった。

お節は、二年後に病死している。

表向きは、七千石の旗本・生駒内蔵助(いこまくらのすけ)の三女ということになっているけれども、栄子は徳川将軍家とも深い関係があるとかで、栄子の実父は八代将軍の徳川吉宗(よしむね)だなどと、うわさされたこともあった。

いずれにせよ、天下の将軍の威光を笠(かさ)に着た栄子の権力には、皆川石見守も頭が上らなかったらしい。

だが、長男が死んで、世嗣(よつ)ぎが消えたとあれば、

「なんとしても、豊松を屋敷へ引き取り、自分の跡をつがせたい」

石見守が、そうおもったのはむりもないことだし、当然のことといえよう。

ところが、栄子は反対した。自分の末弟で、生駒家にいる伊織(いおり)を石見守の養子に迎え、跡をつがせたいといい出し、一歩も引かぬ。

このときばかりは、温厚な石見守も憤然と立ちあがって夫人と対立し、ついに、豊松を神楽坂(かぐらざか)の本邸へ引き取ることを得た。石見守の正論には、さすがの夫人も勝てなかったものか……問題は、それからだ。

夫人・栄子は、まだ、あきらめてはいなかった。

これから皆川家は、正夫人派と石見守派の二つに分れ、その内紛は激しくなるばかりとなった。

家老の浅野彦四郎も側用人・木村房之助も、表面は、忠実に主人の石見守へ仕えているようだが、裏へまわると、完全に夫人・栄子のおもうままに牛耳られている。

浅野家老は、はじめのうち、石見守をたすけて、豊松を本邸へ迎え入れるために、ずいぶんとはたらいていたのだが、そのうちに木村用人から尻尾をつかまれてしまった。

浅野は、五百両もの大金を使いこんでいたのである。

皆川家の勘定（経理）方、磯貝某を抱き込み、甘い汁を吸って、茶屋女なぞを囲っていたりした。

ところが、この磯貝という勘定方は、ずっと以前から木村用人に抱き込まれていたのだから、家老の秘密は用人の耳へ筒抜けだったのだ。

これが、奥方の栄子の耳へ入れば、脅迫を受けた浅野は、真青になった。

木村から秘密を暴露され、たちまちに浅野は放逐されてしまう。

観念した浅野は、ついに木村房之助のいうままになった。

家臣たちの〔長〕たる家老の地位を、木村は存分に利用し、栄子に取り入って、本格的に暗躍をはじめた。

いずれは浅野彦四郎にかわって、皆川家の家老になる野望を抱いたのだ。

木村は皆川家の家来となる以前、若いころには、諸家をわたり歩き、いかがわしいことをやって来たらしく、下情に通じ、これを巧みに悪用する。

「そのうちに、あの者たちが、何を仕出かすか、知れたものではないような気がしてまいったのです」

と、これは亡き井関助太郎が横山正元に洩らした言葉だ。

助太郎は、その三年ほど前から、皆川家の家来になっていて、豊松が本邸へもどってからは、石見守の意向で、豊松の付き添いをするようになっていた。

主人の石見守が病床につくようになると、事態が切迫してきた。

少なくとも、井関助太郎の目には、日に日に危険がせまっているように映ったのである。

それは、幼い豊松を殺害してしまおうとする奥方派のうごきであった。

いまにしておもえば、彼らは、それをやりかねなかったろう。何しろ、石見守までも毒殺しようとしていたのだから……。

これ以上、豊松が本邸に暮すことは、

(危い)

決意した助太郎は、豊松を背負って、或る日の未明に皆川屋敷を脱出したが、すぐに追手がかかった。

助太郎は、諸方を逃げまわるだけで精一杯であったが、その目的は、

「この豊松さまを、何としてでも、皆川家の跡つぎにしたい」

その一念だったといえよう。

あわれな、たよりなげな、幼い豊松への同情、愛情は、助太郎の胸にふくらみ、命がけの行動をとらせた。

自分の、さびしい生い立ちと引きくらべて、助太郎は尚更に、豊松をまもろうとしたのであろうか。

助太郎は、横山正元に、つぎのようなことを洩らしたそうな。

「私の継母、父が亡くなる二年前に家へ入れた後妻の増という女は、父が、むかしに関わった盗賊の一味だったようです。あの者たちは、父が、盗みで得た大金を何処かに隠しているとおもいこみ、父亡き後も、私につきまとったのです」

こうした体験があるだけに、助太郎が豊松の境遇に層倍の同情を寄せたのも、うなずけよう。

秋山小兵衛は、吐き捨てるように、

「たかが、九千石の御家騒動に、大の男が、呆れ果てたる道化ぶり。ことに、わずかな拷問を堪えきれずに泥を吐くような服部宗全ごとき男に毒薬の入手をたのんだり、無頼の浪人どもを飼いあつめて無体をはたらく。こんな莫迦げたことが、いまの武家にはめずらしくなくなったらしい」

横山正元に、そういった。

納屋の内に、線香の匂いがこもっている。

「世に、士農工商と申すが、天下のためにはたらく武士の世界が、このように腐れきってしまったのでは、もはや武家の世は終りじゃ」

小兵衛は、煙草のけむりと共に、ためいきを吐き、

「あの、江戸城中でのさわぎを見よ。その場に居合わせた連中は、乱暴者を恐れて逃げ惑い、これを取り押えたのは、七十の老人だったというではないか。徳川の世も、まさに終りじゃ」

こういって、小兵衛は豊松を手招きし、自分の膝へ抱くようにして、

「井関助太郎は、この子が皆川石見守の跡つぎになることを望んでいたようだが、堕落、狂態の、さむらいどもには、つくづく、愛想がつきたわえ」

「では、秋山先生。その御子を、どうなさるおつもりでございますか？」

「正元さん、知れたことではないか」

「え……？」

「この子の、おじいさんが待っている山城屋へもどすまでじゃ。そのための手筈は、もう、つけてある」

小兵衛の、この言葉を聞いたとき、唖のように無口な豊松の両眼は、灯りがともったように輝いた。

夜が更けて……。

助太郎の通夜をしながら、秋山小兵衛は、老中・田沼意次へあてた手紙をしたためた。

この手紙は明日、秀にたのみ、田沼屋敷に詰めきっている息・大治郎へ届けてもらい、大治郎から田沼老中へ差し出させるつもりであった。

六

来る日も来る日も、雨であった。

咲いた卯の花を腐らせる雨ということで、この季節に降りつづく雨を、

「卯の花腐し」

と、いう。

今日も、秋山小兵衛は隠宅の居間に手枕で寝ころび、ぼんやりと、庭に降る雨をながめている。

皆川石見守の抱え屋敷で、小兵衛が、合わせて十九名に傷を負わせて追いはらってから、八日が過ぎていた。

あれから、幕府の最高裁判所ともいうべき〔評定所〕は、皆川石見守を取り調べることになり、石見守が病気中とあって、家老・浅野彦四郎と側用人・木村房之助へ出頭を命じた。

両人とも手傷を理由に出頭を拒んだらしいが、評定所は数人の目付を皆川邸へ派遣し、両人のみか家来や奥向きの老女、侍女まで、きびしく取り調べた。

すべては、秋山小兵衛の依頼によって、老中・田沼意次が、しかるべく手を打ってくれたのである。

小兵衛も、横山正元、杉原秀、傘屋の徳次郎も証人として、これまでに二度ほど評定所へ

おもむいている。

その結果が、どうなるか、いまはわからぬが、九千石の皆川家が安泰というわけにはまいるまい。

山城屋文吾方へ帰った豊松は、どのように暮しているか、おそらく元気を取りもどし、祖父・文吾の慈愛を受け、のびのびと日を送っているにちがいない。

あの幼い子供が啞のようになってしまったのは、子供ながら、身の危険を感じ、井関助太郎のいうことを、堅くまもっていたからなのだろう。

「先生。お茶が入りましたよ」

と、おはるが台所から出て来て、

「ねえ、先生。ねえ……」

「何じゃ?」

「先生の目眩(めまい)は、どこへ行っちまったのですかねえ」

「わしも、お前も知らぬところへ、な」

「昨夜(ゆうべ)、だいぶ魘(うな)されていなすったねえ」

「そうか、ふうむ……」

「何か、夢でも見なすったの?」

「見た」

「あれ、何の夢?」

「死んだ女房が、また、出て来てのう」

「あれ、いやだよう」

「今度は、手招きをしなかった」

「それで？」

「そこへ行かなくてもよいのかと、尋いてやった」

「あたりまえじゃありませんか」

「まあ、な」

「そしたら、亡くなった御新造さんは、何といったのですよ？」

「来なくともよい、とさ」

「………」

おはるの返事は、なかった。

そのかわりに、小兵衛の肩へ、おはるの手が置かれた。手がふるえている。

「どうした？」

おはるは顔色を変え、庭の彼方を指し示した。

「何？」

見ると、庭の一隅の木蔭の、降りけむる雨の幕の中から、滲み出たように、一個の人影が浮いて出た。

剣客浪人・浅井源十郎である。

むっくりと、小兵衛が半身を起した。

「老人」

と、浅井が声をかけてよこした。

「おお、何か用か？」

「一騎打ちの所望をいたす」

それにはこたえず、小兵衛がおはるへ、

「台所から番傘(ばんがさ)をもってまいれ」

「えっ。ど、どうするのですよう」

「いいから、持って来い。早くいたせ」

「あ、あい……」

台所へ行くおはるの足取りが縺(もつ)れていたのは、ぜひもない。

だが、おはるは、小兵衛が自分を台所へ行かせたのは何のためだろうかと考えてはいたのだ。逃がそうとしたのか、それとも外へ出て、危急をだれかに告げよというのか……いや、その余裕はあるまい。

ここは、小兵衛のいうとおりにするよりほかはないと心を決め、番傘を持って、おはるが居間へもどると、小兵衛は立ちあがっていて、いましも和泉守国貞(いずみのかみくにさだ)一尺四寸余の脇差(わきざし)を腰に帯したところであった。

と、見て、浅井源十郎が雨合羽(あまがっぱ)と菅笠(すげがさ)をぬぎ捨て、

「老人、場所は?」

「うむ。そこの舟着きのあたりの草原がよかろう」

「よし」

浅井が、ぎらりと大刀を抜きはなった。

小さな悲鳴をあげたおはるが、その場にへたへたと崩れ倒れた。気を失なったのだ。

小兵衛は番傘を手にして、ゆっくりと縁側へ出た。

これが、浅井にはよくのみこめなかった。

まさか、傘をさして斬り合いをするのではあるまいとおもったが、何と小兵衛は縁側に立って番傘をひらき、そのまま跣で庭へ降りて来たのである。

浅井は怪訝な面持ちになったが、こうなっては、どうもこうもない。

浅井が一気に、雨の中を草原へ走った。

その後のことは、気を失なっていたおはるゆえ、何もわかっていない。


「おい、これ、おはる、おはる」

小兵衛に肩をゆさぶられて気がつき、

「あれ……」

「方がついたわえ」

「ど、どうなって……」

「いまごろは、死体が舟着きの水から大川へながれ出て行ったろうよ」

こういった小兵衛の左手に、番傘のふとい柄(え)が握られていた。傘はない。柄の先が斜めに、すぱっと切られているのを、おはるは息を呑(の)んで見入っていたが、

「あっ……」

低く叫んで、小兵衛の顔を指さした。

小兵衛の右頬(みぎほお)に、赤い糸くずを貼(は)りつけたような血が滲んでいたからだ。

秋山小兵衛は、

「ふ……」

微(かす)かに笑い、懐紙を出して血をぬぐい取ってから、切断された傘の柄を、ぽーんと庭へ放(ほう)り投げておいて、こういった。

「今日は妙に冷える。おはる。夕餉(ゆうげ)は、油揚(あげ)を入れた湯豆腐にしておくれ」

解説

常盤新平

『二十番斬り』には思い出がある。私は『剣客商売』の一冊一冊を書店で買いもとめて読んでいたのであるが、それらをどの書店で入手したかは『二十番斬り』を除いて、おぼえていない。

『二十番斬り』は旅先で読んだのだった。鬼怒川の温泉宿だった。その宿に泊った翌朝、私は日光に電車で出かけた。秋晴れの、少し肌寒い日だった。日本で最も古い日光金谷ホテルを訪れたことがなかったので、そこで昼食をとるつもりだった。池波先生は『よい匂いのする一夜』にこのホテルのことを書かれている。

その帰り、鬼怒川温泉へもどるので、下今市で電車を乗り換えた。鬼怒川方面に行く電車が来るまでに、かなり時間があって、下今市の書店に行ってみた。『二十番斬り』が発売になったのを新聞広告を見て知っていたからだ。

はたして『二十番斬り』が書店に入荷しているかどうかわからなかった。地方の書店だから入荷してないということも考えられる。しかし、幸いにも下今市の大きな書店（文房具店も兼ねていた）には、『二十番斬り』が積んであった。

『二十番斬り』は鬼怒川へ行く電車のなかで読み、宿に帰って読みつづけた。十五冊目の『剣客商売』からはそれまでの作品とはちがった印象を受けた。秋山小兵衛が年齢をとり元気をなくしたように思われた。江戸のスーパーマンも年齢には勝てないのかと暗然となった。

長編『二十番斬り』は、まだ夜が明ける前に小兵衛が得体の知れぬ目眩に襲われることからはじまる。天明四年（一七八四年）の初夏の気配が日ましに濃くなるころであり、小兵衛は六十六歳である。

これまで目眩を感じたことなど一度もない小兵衛だった。「手足に知覚がなく、雲を踏んでいるよう」なのである。

「ああ……」

わずかに呻き、小兵衛は横ざまに倒れた。

私はこの二行を読んだとき、作者である池波先生が倒れたのかと思った。私はたぶんに小兵衛に作者をかさねて見ていたのである。『剣客商売』には作者の内面が色濃く投影されている。

先生が『剣客商売』を書きはじめられたとき、主人公の秋山小兵衛よりはるかに若かったが（小兵衛六十歳、作者四十九歳）、作者の年齢が主人公にだんだんに追いついてきた。『二十番斬り』は先生六十四歳の作である。

池波先生が目眩に倒れられたと一瞬思ったのは私一人ではなかった。池波さんが倒れられたような気がしたよと言って笑った池波ファンが何人かいる。彼らもまた秋山小兵衛には作者の健康状態が反映されているとみてきたのだった。

だが、小兵衛は目眩に苦しみながらも事件を予告する「裏手で妙な物音」をちゃんと聞いている。この老剣客、転んでもただでは起きないのである。その「物音」がこの長編の大きな謎となる事件の伏線をなしている。

小兵衛の目眩におはるは驚愕し、小川宗哲を呼びに走る。本所亀沢町の町医者、小川宗哲は小兵衛の碁敵であって、二十余年に及ぶ親交で小兵衛自身は病気でこの名医の世話になったことはあまりないかわり、小兵衛のふところに飛びこんできた病人や怪我人をなおしてもらってきた。その小川宗哲が小兵衛に言う。

「小兵衛さんの躰の仕組みが変ってきたのであろうよ。つまり……」

「ようやくに老人の躰になった、とでも申したらよいかのう」

そして、小兵衛に「お若い、お若い」と言い、「御新造、安心なされ。小兵衛さんの先は長いわえ」と心配するおはるを安心させるのである。おはる、ときに二十六歳。

小兵衛の回復は驚くほど早く、ひと眠りしたあとで裏の物置小屋に来ていた侍の一人の編笠をむしりとって、銀煙管を投げつけて、鼻柱に命中させる。早業である。侍はもう一人の侍とともに逃走した。

池波先生の小説は冒頭から読者を楽しませる。小説は書きはじめの二、三枚が勝負だという意味のことを先生は言われていた。それが先生の小説作法だった。はじめがおもしろくなければ、読者は読んでくれない。『二十番斬り』でも小兵衛の目眩から二人の侍を追いちらすまで、たたみかけるようなおもしろさである。文章は簡潔で切れ味鋭く、いささかの無駄もない。

以前、池波先生のまねをして、昼間に吾妻橋の蕎麦屋で若い人と酒を飲んだとき、相手は店内を見まわして、池波さん好みのお店ですねと言い、二、三杯の酒で目もとを赤くしながら、僕は本が嫌いだったんですと言い、いかにして本が好きになったかを語ってくれた。

この若い人の父親は息子が本嫌いなのを心配して、おもしろそうな本をつぎつぎと持ってきて、息子にすすめた。息子はどれも読む気がしなかった。

「父親がサジを投げかけたころ、僕の机に黙っておいていった文庫本があるんです。それが『剣客商売』でした」

と若い人は言い、『剣客商売』のシリーズをつぎつぎにむさぼり読んだことを話してくれた。『剣客商売』『黒白』のあと、『鬼平犯科帳』や『仕掛人・藤枝梅安』など池波作品を読むまでに時間はかからなかった。

「僕は『剣客商売』で解説を書かれている常盤さんの名前をおぼえたんですよ」

こういう人がじつに多い。それだけ『剣客商売』が厖大な数の読者に読まれているのだ。私は小判鮫になったような気がしたものである。『剣客商売』をはじめ『鬼平犯科帳』も『仕掛人・藤枝梅安』も『編笠十兵衛』も、それまで本に縁のなかった人に読ませてしまう小説だ。池波正太郎をはじめて読んで、読書の楽しさに目ざめた人がいかに多いことか。

先ほどの若い人も学生時代に池波正太郎にとりつかれ、それでほかの小説も読むようになり、大学を卒業すると、小さな出版社の編集者になった。いまや、親父に僕がこの本はいいよとか、おもしろいよとか言ってすすめています、と彼は嬉しげに笑った。

蕎麦屋で酒を飲んだり、洋食屋でコロッケを食べたりするのは、庶民の生活である。池波先生は町の蕎麦屋で飲み、町の洋食屋で食べることを『食卓の情景』などに書かれた。それが新鮮に感じられたのは、久しく忘れられていたからである。

蕎麦屋も洋食屋も山口瞳流にいうならば、一つの文化である。池波先生はそういう文化を再発見して、私たちに「食卓の情景」を教えてくださった。

『剣客商売』でもものを食べるシーン、酒を飲むシーンが小説の魅力になっている。そういうシーンはじつにわかりやすく、しかもおいしそうで、小説のなかに溶けこんでいる。『二十番斬り』でもつぎのような、なにげない、しかし読んでいて酒が飲みたくなるようなシーンがあった。

戸締りをし、行燈へ火を入れてから、小兵衛は台所へ入り、樽の清酒を片口へうつした。

台所に、酒の香がただよう。

「うむ」

ひとりうなずき、片口の酒を茶わんへうつし、ごくりと喉を鳴らしてのむ。

この直後、小兵衛は七人の凶漢に襲われる。覆面をした屈強な侍がその先頭に立っていた。

この襲撃について小兵衛はよくおぼえていない。そのときまた目眩が起こったのだ。

「もう、だめかとおもった……さ、その後が、どうなったか……わしは無我夢中だった。こうして生きていて、傷ひとつ受けなかったからには、わしも何とかうごいて、立ち回ったのだろうよ。気がついたときには、もう曲者どもは逃げていたのじゃ」

これは御用聞きの弥七に語ったことである。このような事態にいたったのも、小兵衛が傷ついた井関助太郎と豊松をかくまったからだが、肝心の井関助太郎はなぜ襲われたのか、豊松が何者なのかをまったく語ろうとしない。

小兵衛も無理に知ろうとはせず、弥七を使って背後関係をさぐらせる。井関助太郎は小兵衛のかつての門人で、父親の井関平左衛門も四谷にあった小兵衛の道場で稽古をしていた。小兵衛の息・大治郎も井関平左衛門が山村源助と名乗り、石見・津和野の浪人であったことを知っている。だが、豊松については何もわからない。この子供はほとんど口をきかないのである。

井関助太郎はなにやら大きな秘密を抱えている。それは父、平左衛門のことらしいが、この謎はなかなか明らかにされない。いつそれを明かすか、そのへんの呼吸は作者が十分に心得ている。

『剣客商売』のシリーズは時代小説のおもしろさを読者に堪能(たんのう)させながら、作者は主人公におもいを託した。長谷川平蔵も秋山小兵衛も作者の分身と私は思っている。小兵衛が目眩を起こせば、作者もそうだったのではないかと思わせるほどに、作者と主人公は重なりあっていた。

しかし、秋山小兵衛は作者その人ではなく、読者がかくありたいと願う老年の姿だった。そして、小兵衛は読者を力づけたのである。剣では無類の強さを発揮し、四十歳もちがう若い妻をもらうことなど絵空事である。

しかし、現実にはいないこの老剣客に軽衫(かるさん)ふうの袴(はかま)をつけさせ、茶わんの酒を飲ませ、「今日は妙に冷える。おはる。夕餉(ゆうげ)は、油揚(あげ)を入れた湯豆腐(ゆどうふ)にしておくれ」と言わせるとき、秋山小兵衛はにわかに身近な存在になってくる。江戸の老剣客が団地でファストフードを食っている私のようなものを慰め励ましてくれているような気がする。私の貧しい想像力のなかでも秋山小兵衛は縦横無尽に生きている。そうして、作者もまた目眩に襲われながら、すぐに立ちなおって、元気に銀座を歩かれているような気がしてくる。

だが、『剣客商売』のシリーズもまもなく終ろうとしている。あと一冊を残すだけである。

(平成九年二月、作家)

この作品は昭和六十二年十月新潮社より刊行された。

池波正太郎著

剣客商売

白髪頭の粋な小男・秋山小兵衛と巌のように逞しい息子・大治郎の名コンビが、剣に命を賭けて江戸の悪事を斬る。シリーズ第一作。

池波正太郎著

剣客商売② 辻斬り

闇の幕が裂け、鋭い太刀風が秋山小兵衛に襲いかかる。正体は何者か？　辻斬りを追跡する表題作など全7編収録のシリーズ第二作。

池波正太郎著

剣客商売③ 陽炎の男

隠された三百両をめぐる事件のさなか、男装の武芸者・佐々木三冬に芽ばえた秋山大治郎へのほのかな思い。大好評のシリーズ第三作。

池波正太郎著

剣客商売④ 天魔

「秋山先生に勝つために」江戸に帰ってきたとうそぶく魔性の天才剣士と秋山父子との死闘を描く表題作など全8編。シリーズ第四作。

池波正太郎著

剣客商売⑤ 白い鬼

若き日の愛弟子を斬り殺された秋山小兵衛が、復讐の念に燃えて異常な殺人鬼の正体を追及する表題作など、大好評シリーズの第五作。

池波正太郎著

剣客商売⑥ 新妻

密貿易の一味に監禁された佐々木三冬を秋山大治郎が救い出すと、三冬の父・田沼意次は嫁にもらってくれと頼む。シリーズ第六作。

池波正太郎著　剣客商売⑦　隠れ簑

盲目の武士と托鉢僧。いたわりながら旅を続ける年老いた二人の、人知をこえた不思議な絆を描く「隠れ簑」など、シリーズ第七弾。

池波正太郎著　剣客商売⑧　狂乱

足軽という身分に比して強すぎる腕前を持ったがゆえに、うとまれ、踏みにじられる侍の悲劇を描いた表題作など、シリーズ第八弾。

池波正太郎著　剣客商売⑨　待ち伏せ

親の敵と間違えられた大治郎がその人物を探るうち、秋山父子と因縁浅からぬ男の醜い過去が浮かび上る表題作など、シリーズ第九弾。

池波正太郎著　剣客商売⑩　春の嵐

わざわざ「名は秋山大治郎」と名乗って辻斬りを繰り返す頭巾の侍。窮地に陥った息子を救う小兵衛の冴え。シリーズ初の特別長編。

池波正太郎著　剣客商売⑪　勝負

相手の仕官がかかった試合に負けてやることを小兵衛に促され苦悩する大治郎。初孫・小太郎を迎えいよいよ冴えるシリーズ第十一弾。

池波正太郎著　剣客商売⑫　十番斬り

無頼者一掃を最後の仕事と決めた不治の病の孤独な中年剣客。その助太刀に小兵衛の白刃が冴える表題作など全7編。シリーズ第12弾。

池波正太郎著

剣客商売⑬ 波紋

大治郎の頭上を一条の矢が疾った。これも剣客商売の宿命か——表題作他、格別の余韻を残す「夕紅大川橋」など、シリーズ第十三弾。

池波正太郎著

剣客商売⑭ 暗殺者

波川周蔵の手並みに小兵衛は戦いた。大治郎襲撃の計画を知るや、波川との見えざる糸を感じ小兵衛の血はたぎる。第十四弾、特別長編。

池波正太郎著

黒白（上・下）
—剣客商売番外編—

若き日の秋山小兵衛に真剣勝負を挑んだ小野派一刀流の剣客・波切八郎。対照的な二人の剣客の切り結びを描くファン必読の番外編。

池波正太郎著

ないしょ ないしょ
—剣客商売番外編—

つぎつぎと縁者を暗殺された娘が、密かに習いおぼえた手裏剣の術と、剣客・秋山小兵衛の助太刀により、見事、仇を討ちはたすまで。

池波正太郎著

雲霧仁左衛門（全二冊）

神出鬼没、変幻自在の怪盗・雲霧。政争渦巻く八代将軍・吉宗の時代、狙いをつけた金蔵をめざして、西へ東へ盗賊一味の影が走る。

池波正太郎著

江戸切絵図散歩

切絵図とは現在の東京区分地図。浅草生まれの著者が、切絵図から浮かぶ江戸の名残を練達の文と得意の絵筆で伝えるユニークな本。

池波正太郎著
編笠十兵衛（上・下）
幕府の命を受け、諸大名監視の任にある月森十兵衛は、赤穂浪士の吉良邸討入りに加勢。公儀の歪みを正す熱血漢を描く忠臣蔵外伝。

池波正太郎著
忍者丹波大介
関ケ原の合戦で徳川方が勝利し時代の波の中で失われていく忍者の世界の信義……一匹狼となり暗躍する丹波大介の凄絶な死闘を描く。

池波正太郎著
男（おとこぶり）振
主君の嗣子に奇病を侮蔑された源太郎は乱暴を働くが、別人の小太郎として生きることを許される。数奇な運命をユーモラスに描く。

池波正太郎著
俠客
「お若えの、お待ちなせえやし」の幡随院長兵衛とはどんな人物だったのか——旗本水野十郎左衛門との宿命的な対決を通して描く。

池波正太郎著
剣の天地
戦国乱世に、剣禅一如の境地をひらいて新陰流の創始者となり、剣聖とあおがれた上州の武将・上泉伊勢守の生涯を描く長編時代小説。

池波正太郎著
闇の狩人（全二冊）
記憶喪失の若侍が、仕掛人となって江戸の闇夜に暗躍する。魑魅魍魎とび交う江戸暗黒街に名もない人々の生きざまを描く時代長編。

池波正太郎著
闇は知っている

金で殺しを請け負う男が情にほだされて失敗した時、その頭に残忍な悪魔が棲みつく。江戸の暗黒街にうごめく男たちの凄絶な世界。

池波正太郎著
さむらい劇場

八代将軍吉宗の頃、旗本の三男に生れながら、妾腹の子ゆえに父親にも疎まれて育った榎平八郎。意地と度胸で一人前に成長していく姿。

池波正太郎著
おとこの秘図（全三冊）

江戸中期、変転する時代を若き血をたぎらせて生きぬいた旗本・徳山五兵衛――逆境をはねのけ、したたかに歩んだ男の波瀾の絵巻。

池波正太郎著
忍びの旗

亡父の敵とは知らず、その娘を愛した甲賀忍者・上田源五郎。人間の熱い血と忍びの苛酷な使命とを溶け合わせた男の流転の生涯。

池波正太郎著
まんぞくまんぞく

十六歳の時、浪人者に犯されそうになり家来を殺されて、敵討ちを誓った女剣士の心の成長の様を、絶妙の筋立てで描く長編時代小説。

池波正太郎著
秘伝の声（上・下）

師の臨終にあたって、秘伝書を土中に埋めることを命じられた二人の青年剣士の対照的な運命を描きつつ、著者最後の人生観を伝える。

池波正太郎著

真田騒動
―恩田木工―

信州松代藩の財政改革に尽力した恩田木工の生き方を描く表題作など、大河小説『真田太平記』の先駆を成す〝真田もの〟5編。

池波正太郎著

上意討ち

殿様の尻拭いのため敵討ちを命じられ、何度も相手に出会いながら斬ることができない武士の姿を描いた表題作など、十一人の人生。

池波正太郎著

あほうがらす

人間のふしぎさ、運命のおそろしさ……市井もの、剣豪もの、武士道ものなど、著者の多彩な小説世界の粋を精選した11編収録。

池波正太郎著

おせん

あくまでも男が中心の江戸の街。その陰にあって欲望に翻弄される女たちの哀歓を見事にとらえた短編全13編を収める。

池波正太郎著

あばれ狼

不幸な生い立ちゆえに敵・味方をこえて結ばれる渡世人たちの男と男の友情を描く連作3編と、『真田太平記』の脇役たちを描いた4編。

池波正太郎著

谷中・首ふり坂

初めて連れていかれた茶屋の女に魅せられて武士の身分を捨てる男を描く表題作など、本書初収録の3編を含む文庫オリジナル短編集。

池波正太郎著
真田太平記(七)
―関ヶ原―

徳川秀忠軍四万を上田城に迎えうった真田父子は様々な謀略を使ってこれを釘づけとし、ついに関ヶ原の決戦に間に合わせなかった。

池波正太郎著
真田太平記(八)
―紀州九度山―

真田信幸と舅・本多忠勝の助命嘆願によって紀州九度山に蟄居させられた真田父子は、再び決戦の来る日を夢みて孤独な日々をおくる。

池波正太郎著
真田太平記(九)
―二条城―

家康の豊臣家取潰し策により東西手切れに向かって情勢が緊迫化する中、その日を見ることなく真田昌幸は九度山で寂しく永眠する。

池波正太郎著
真田太平記(十)
―大坂入城―

ひそかに大坂城に入城した真田幸村は、外堀の外に真田丸と名づけた小さな砦を築き、これに拠って徳川軍をさんざんに打ちすえる。

池波正太郎著
真田太平記(十一)
―大坂夏の陣―

裸城にされてしまった大坂城を打って出た真田幸村は、元和元年五月七日、若き日の予感どおりに向井佐平次とともに戦場に倒れる。

池波正太郎著
真田太平記(十二)
―雲の峰―

家康の死後、秀忠は信之の真田藩取り潰しを策すが、ただ一人生き残ったお江の活躍により、信之は難をまぬがれる。全十二巻完結。

剣客商売(けんかくしょうばい)　二十番斬り(にじゅうばんぎ)

新潮文庫　い-16-75

平成九年三月三十日発行

著者　池波正太郎(いけなみしょうたろう)
発行者　佐藤隆信
発行所　株式会社新潮社

郵便番号　一六二
東京都新宿区矢来町七一
電話 編集部(〇三)三二六六―五四四〇
読者係(〇三)三二六六―五一一一
振替　〇〇一四〇―五―八〇八

価格はカバーに表示してあります。

乱丁・落丁本は、ご面倒ですが小社読者係宛ご送付ください。送料小社負担にてお取替えいたします。

印刷・二光印刷株式会社　製本・憲専堂製本株式会社

ISBN4-10-115675-1 C0193